La Gastronomie
EN PLEIN AIR

ODILE DUMAIS

La Gastronomie EN PLEIN AIR

LES ÉDITIONS QUÉBEC AMÉRIQUE
329, rue de la Commune O., 3e étage, Montréal (Québec) H2Y 2E1 (514) 499-3000

Données de catalogage avant publication (Canada)

Dumais, Odile

La gastronomie en plein air

ISBN 2-89037-937-X

1. Cuisine en plein air.   I. Titre

TX823.D975 1999   641.5'78 C99-940183-1

Les Éditions Québec Amérique bénéficient du programme
de subvention globale du Conseil des Arts du Canada.

Le Conseil des Arts | The Canada Council
du Canada | For the Arts
DEPUIS 1957 | SINCE 1957

Elles tiennent également à remercier la SODEC pour son appui financier.

SoDEC
Québec ::

Nous reconnaissons l'aide financière du gouvernement du Canada
par l'entremise du Programme d'aide au développement
de l'industrie à l'édition (PADIÉ) pour nos activités d'édition.

Canadä

Dépôt légal : 1ᵉʳ trimestre 1999
Bibliothèque nationale du Québec
Bibliothèque nationale du Canada

Première réimpression : Juin 1999

Éditrice
Jocelyne Morissette

Co-Éditeur
Pierre Hamel
Géo Plein Air

Coordination
et direction artistique
Claude Lapierre

Production
Michel Joubert
Claude Lapierre

Conception graphique
et mise en page
Épicentre communication globale

Réviseure éditoriale
Michelle Gauthier

Réviseure linguistique
Diane Martin

Photographie de la paella
Tango

L'auteure peut être rejointe par internet à l'adresse : dumais.odile@uqam.ca ou à www.lyo-san.ca

À mon père

Table des matières

Remerciements

Depuis toujours je m'intéresse à l'alimentation saine et à la gastronomie, et cela, grâce aux connaissances de ma mère. Je la remercie du fond de mon cœur.

J'éprouve une immense gratitude à l'égard de Michelle Gauthier, pour sa participation exceptionnelle à la révision éditoriale.

Un merci tout particulier à Michèle Laflamme et à Danielle Lamontagne, mes amies diététistes, qui ont été d'excellentes et généreuses collaboratrices dans la révision scientifique. Je suis aussi profondément reconnaissante envers ma sœur Jeanne-Mance pour la lecture éclairée du manuscrit. Mon ami d'expédition Benoît Roy a participé à la revue historique des expéditions polaires et je le remercie chaleureusement. Mes plus sincères remerciements à Serge Brault, pour sa complicité et ses précieux conseils scientifiques au cours de mes recherches sur la lyophilisation.

Je remercie l'ingénieux Pierre Archambault, qui m'a fabriqué en 1980 un unique déshydrateur maison. J'ai réalisé, grâce à cet appareil domestique, de nombreuses expériences.

J'ai été considérablement aidée par Geneviève Martineau qui m'a généreusement offert son temps en participant activement, de façon minutieuse et enthousiaste, à la standardisation des recettes. Je dois beaucoup à Micheline Fortin pour la révision de données techniques et ses nombreux conseils de cuisine en plein air. Je souhaite remercier Marie-Claude, Pascal, Stéphanie, Marie-Soleil et Jean-Nicolas Blanchet ainsi que Guillaume Guitard, Florence Brazé-Loiselle, Anne-Marie, Gabrielle et Antoine Provost pour avoir goûté à plusieurs recettes et m'avoir nourrie de leurs commentaires si élogieux.

Toute ma reconnaissance à Louis Grenier. Grâce à son appui habituel, Québec-Amérique m'a ouvert ses portes. Merci à Luc Roberge et à tout le personnel de la maison d'édition, pour la confiance accordée pendant une longue période de travail, et principalement à Jocelyne Morissette.

Des remerciements particuliers à Pierre Hamel et Simon Kretz, du magazine *Géo Plein Air*, pour leur collaboration indispensable, leurs commentaires, leurs suggestions, leur sens de l'humour et leur confiance.

Je voudrais exprimer ma gratitude envers tous ceux et celles qui m'ont inspirée de quelque façon ou dont j'ai étudié les expériences contemporaines sur le terrain, notamment Liv Arnesen,

11

Carl Boucher, Louis Craig, Laurence De La Ferrière, Claude Dugay, Jean-Louis Étienne, Jacques Favreau, Pierre Gougoux, Yves Laforêt, André Laperrière, Jacques Olek, Borge Ousland, Bruno Pellicier, Robert Piché, Thierry Pétry, Robert Quintal, Abraham Tigullaraq, Roland Tuetey, Bernard Voyer, Richard Weber et Krzysztof Wielicki.

Enfin des remerciements particuliers à Raymonde Beaudry, Robert Blondin, Lyne Brisson, Jean Castonguay, Jean-Pierre Danvoye, Gérald Desfossés, Pierre Dunnigan, Linda Gagnon, Daniel Gauvreau, Jean-Pierre Girard, Francine Grenier, Anne-Marie Hamelin, Françoise Kayler, Benoît Lalonde, Denis Lapierre, François Marchand, Léopold Nadeau, Pierre Noël, Jean-François Pronovost, Jean-Marie Renard, Pierre G. Robineault, Benoît Robitaille, Marc Saint-Onge, Jeff Thuot, Quentin van Ginhoven ainsi qu'à Joanne Weber pour leur contribution remarquable.

Finalement, je tiens à souligner la confiance et l'appui que me témoignent mes amis et coéquipiers d'excursion et d'expédition ainsi que mes étudiants des cours de plein air de l'UQAM. Leur soutien m'encourage à poursuivre mes recherches.

Remerciements

Te souviens-tu, Odile, en 1984 quand nous skiions le Québec dans sa largeur, de Gaspé à Hull? Il y a déjà plus de 15 ans que nous discutons bouffe et environnement en glissant sur les pistes laurentiennes…

Depuis, tu as couru les bois et les rivières, les monts et les banquises de notre terre mère et tu sais, comme moi, que kilomètre égale calories et vice-versa. Cette équation très animale nous a conduits, à l'époque, jusqu'à la frontière ontarienne avec quelques journées de plus de 90 km ! Cette équation m'a aussi permis de traverser l'Ungava, le Groenland, et même d'atteindre le pôle Sud avec une ration journalière finale de plus de 8000 calories après deux mois d'expédition.

C'est grâce à la même équation que se négocie annuellement le Marathon canadien de ski (MCS). Bien sûr il y a l'entraînement, la motivation, la météorologie, le fartage et… la chance, mais il y a surtout tes rations nutritives amoureusement préparées, succulentes et pratiques. Merci, chère amie, de nous gâter, de flatter nos papilles et de nous aider à récupérer métaboliquement pour mieux repartir et réussir annuellement la course de coureurs des bois.

En lisant ce livre, je ne doute point que chaque amateur de plein air n'adopte ta passion culinaire, que chaque néophyte ne se convertisse aux joies du dehors. Quand il aura goûté à ton poulet de grain lyophilisé ou à tes galettes polaires, la tempête au-dessus de sa tuque lui paraîtra douce, quiète sera sa nuit et forte sera son âme. Si les kilomètres tombent dans les jambes, c'est au chemin du cœur que mènent les calories. L'Antarctique m'en a convaincu !

THIERRY PÉTRY

Quand j'étais encore écolier, et que j'apprenais l'histoire du Canada, j'étais ébloui par le courage de ces explorateurs venus découvrir l'Amérique et impressionné par leur détermination alors qu'ils affrontaient les longues traversées des mers pour parvenir au Nouveau Monde. Mais ce qui me surprenait le plus, c'était leur fragilité. Plusieurs mouraient du scorbut. Dans ma petite tête d'enfant, cette maladie terrible qui frappait les uns, épargnant bizarrement les autres, me faisait penser à une sorte de calamité, impossible à prévoir, mystérieuse et mortelle à la fois. Je ne comprenais pas qu'on puisse mourir de malnutrition. J'ignorais alors que, si le corps humain est privé d'éléments essentiels, il s'affaiblit et devient la cible de nombreuses maladies. Et puis, plus tard, j'ai commencé moi-même mes petites explorations. Rien de comparable à celles des grands explorateurs; un peu de camping simplement. Au cours de ces randonnées, il m'est arrivé d'avoir faim, très faim... En 1983, je suis devenu pilote d'hydravion. Un tout nouveau territoire, immense et souvent inhospitalier, s'ouvrait à moi. Malgré que je fusse beaucoup mieux équipé, là encore, il m'est quand même arrivé d'avoir faim. Je me remémorais, au plus sombre de mes creux d'estomac, une petite recette toute simple : steak haché, blé d'Inde, patates... steak haché, blé d'Inde, patates... steak haché, blé d'Inde, patates... Ah, la bonne recette du pâté chinois...

L'ouvrage que vous allez bientôt... dévorer est fait d'une tout autre concoction. J'ai rencontré Odile Dumais, l'auteure, tout à fait par hasard, par l'intermédiaire d'un ami commun. Elle m'a proposé de préparer les repas que je dois toujours apporter dans les expéditions que je pousse annuellement jusqu'au Grand Nord québécois. J'ai découvert par l'expérimentation qu'on pouvait beaucoup mieux se nourrir, rester en meilleure forme, tout en allégeant son bagage avec le menu varié des repas déshydratés et lyophilisés dont elle a le secret. De plus, tout était délicieux, est-il besoin de le dire? C'était suffisant pour que je devienne un inconditionnel de sa nourriture.

Le livre qu'elle propose va bien plus loin que la simple description des ressources nutritionnelles qui ont tant manqué aux équipages de Jacques Cartier. Composé d'explications, de conseils et d'observations, il est le fruit de l'analyse approfondie d'une experte en la matière sur les exigences du corps humain et son carburant. Et vous comprendrez du même coup, par le biais des expériences de grands explorateurs, pourquoi un organisme humain semble si fragile dans des conditions extrêmes, comment on peut éviter de le fragiliser davantage et, surtout, comment une planification minutieuse de votre ravitaillement vous permettra d'atteindre votre but.

Si le plein air vous intéresse, la lecture de ce livre est incontournable. Elle vous révélera des méthodes et des secrets que vous devez absolument connaître. Lisez-le, mettez ses conseils en pratique, et les coins les plus reculés de la planète vous appartiendront.

Vive l'aventure !

GASTON LEPAGE

De Lac-Bouchette au Groenland

Née à Lac-Bouchette, dans la campagne du Lac-Saint-Jean, entourée de trois frères et de trois sœurs, j'ai grandi entre l'eau tranquille et la forêt en profitant des saisons. Il me revient des souvenirs de matinées brumeuses, au cours desquelles j'aidais mon père, dans une chaloupe qu'il avait lui-même fabriquée, à vider les filets de pêche, de mois d'août, en famille, à cueillir les bleuets et à camper près des cours d'eau dans un abri de fortune, de longs hivers à glisser (encore plus longtemps les soirs de pleine lune) et à partir en raquettes pour installer les collets en espérant qu'on ajouterait du lièvre dans la prochaine tourtière. Tous les enfants participaient aux nombreuses tâches : rentrer le bois, sarcler le jardin, récolter. Je me rappelle aussi les pique-niques, en été, où chaque journée ensoleillée nous comblait, tous assis au bout du quai, à l'heure du dîner; ma mère nous avait préparé un sandwich garni de pâté cuisiné avec les restants de viande cuite la veille et de la limonade maison.

De mon enfance j'ai donc gardé une fascination pour les plans d'eau sauvages, le grand air, le camping et les pique-niques. Mes retours de l'école en après-midi sont restés marqués par l'odeur des petits pains frais que ma mère avait pétris durant la matinée. Du bon pain chaud et du beurre frais de la ferme du voisin…

De tels antécédents allaient progressivement m'amener jusqu'à des études universitaires dans les domaines de l'éducation physique et de la nutrition. Chargée des cours de plein air et de nutrition à l'Université du Québec à Montréal et devenue guide pour les touristes d'aventures, j'ai finalement joint la pratique à la théorie. Ces deux intérêts orientent ma vie vers des défis de plus en plus variés.

Ce livre veut rendre hommage, dans un premier temps, aux grands explorateurs dont les récits d'aventures ont guidé mes rêves et m'ont incitée à vivre ma passion des expéditions. Leurs carnets de voyages constituent la première source indéniable de données de recherche dans le domaine de la nutrition en plein air et dans des conditions extrêmes. Je tiens aussi à communiquer la synthèse d'une carrière professionnelle axée sur mes deux intérêts, le plein air et la nutrition. Je vous propose des recettes inédites accompagnées de précieux renseignements d'ordre nutritionnel et des

< En hiver 1958, mon père fut un des rares à acheter une « snowmobile » fabriquée par Bombardier. Cet engin nous emmenait au plus profond de la forêt et les lacs gelés devenaient des autoroutes. (Je suis la deuxième à partir de la gauche)

menus adaptés à diverses sorties en plein air. Rien n'est laissé au hasard. Une multitude de tableaux facilite les préparatifs : quantité d'aliments par portion en grammes, liste d'épicerie, quantité de carburant à apporter, poids de l'équipement culinaire... Vous y apprendrez les techniques de déshydratation des aliments, des trucs faciles pour l'emballage des portions et les critères pour un choix judicieux de l'équipement nécessaire pour cuisiner en plein air.

Une partie plus scientifique relate les principales recherches actuelles dans le domaine de l'alimentation en plein air malgré le fait que les expériences demeurent difficiles à mener sur le terrain. Les spécialistes en médecine et en nutrition participent eux-mêmes à des excursions et à des expéditions ou encore s'associent à des randonneurs, alpinistes, aventuriers ou explorateurs, pour rassembler les données nécessaires afin d'assurer la sécurité alimentaire et nutritionnelle au cours de sorties plus ou moins longues en plein air. Aujourd'hui, la technologie alimentaire permet de préparer des plats déshydratés et lyophilisés et une grande variété d'aliments répondant aux contraintes des différentes activités de plein air.

Tous les trajets sont permis à l'intérieur de ce livre. Conçu d'abord et avant tout comme un ouvrage de référence, il peut être consulté au gré de vos intérêts et des besoins d'information liés à vos projets, sans que vous ayez forcément à suivre la logique initiale proposée par la table des matières. D'ailleurs vous reviendrez souvent à certains chapitres, et des annexes beaucoup plus techniques pourront vous fournir des données précises et détaillées si vous désirez approfondir certains sujets.

Ce livre s'adresse à tous ceux et celles qui aiment le canot-camping, l'escalade, le cyclotourisme, la randonnée en montagne ou à skis, en passant par le simple pique-nique d'un jour jusqu'à l'aventure en plein air dans un but de plaisir, pour apprendre, découvrir ou retrouver la nature. Je souhaite vous communiquer mon amour de la cuisine en plein air. Je vous livre mes plus beaux secrets, mes meilleures recettes et découvertes techniques afin de rendre votre séjour au grand air plus savoureux.

1 *Histoires de neige*

LES GRANDES ÉTAPES DE L'EXPLORATION POLAIRE ET L'ÉVOLUTION DU MENU DU JOUR

À la fin du XVIᵉ siècle, avec les premières expéditions en Arctique, à l'époque où les explorateurs cherchaient un raccourci vers les splendeurs de l'Orient, les notions de nutrition en plein air ont pris une signification nouvelle. De nombreux aventuriers en bateau, en kayak, à skis, avec des chiens, des chevaux et même des poneys, découvrent alors les régions polaires et le passage du Nord-Ouest. Une longue course s'amorce à ce moment-là, entre ceux qui veulent devenir les premiers à atteindre les pôles.

L'histoire de ces pionniers démontre combien la nourriture joue un rôle-clé dans le succès de leurs aventures. En décrivant leurs problèmes alimentaires dans leur journal de voyage, ils ont contribué à améliorer les connaissances en nutrition. Leur réussite dépendait en grande partie d'une organisation générale où la quantité et la qualité des aliments tenaient une place déterminante.

Toutes les expéditions ne furent pas couronnées de succès et plusieurs connurent d'horribles fins à cause d'une préparation inadéquate, du mauvais temps et d'une alimentation déficiente. Le récit de leurs exploits qui duraient, à l'époque, des mois et même des années (puisqu'ils devaient atteindre leur point de départ en bateau) témoigne de l'ampleur de leur mérite : conquête de l'inconnu, aucun moyen de communication, équipement lourd, vêtements peu isolants, nourriture peu équilibrée et surtout peu appétissante. Au delà des connaissances géographiques, ces grands explorateurs nous ont laissé des données techniques concernant la conservation et la préparation des aliments en milieux hostiles et souvent dans des conditions extrêmes. Plusieurs ne sont jamais revenus et il est étonnant de constater que la nourriture représentait souvent le facteur déterminant de survie.

... 1596 à 1912

Willem BARENTS, navigateur néerlandais, en 1596, est le premier avec son équipage à hiverner dans l'Arctique, sur son bateau. Il y cherche le passage du Pacifique vers l'Atlantique. L'année suivante, à 47 ans, il succombe au froid et à la faim, vers les côtes sibériennes près de la mer qui porte aujourd'hui son nom. Il admet à plusieurs reprises, tout au cours de sa vie d'explorateur, que la qualité et la quantité des vivres constituent l'une des principales conditions de succès d'une expédition.

Fridtjof Nansen, explorateur norvégien de grande classe, précurseur des recherches scientifiques sur le froid, fut une source d'inspiration pour plusieurs explorateurs qui lui succédèrent. Il inventa le réchaud portatif fonctionnant avec un réservoir de carburant sous pression.

Le navigateur danois Vitus BEHRING, quant à lui, meurt du scorbut après que son bateau eut échoué sur les côtes de l'Alaska en 1741, dans le détroit du même nom. Le scorbut, première maladie nutritionnelle découverte par observation sur l'homme, était soigné, au temps de Christophe COLOMB, par l'ingestion d'infusions aux aiguilles de pin. Aujourd'hui il est démontré que la vitamine C, aussi appelée acide ascorbique, protège contre le scorbut, d'où son nom. Les fruits, principalement les agrumes, et les légumes frais en contiennent une forte concentration. Elle nous est aussi fournie sous forme de suppléments qui deviennent très utiles pour des menus composés principalement d'aliments déshydratés.

Sir William Edward PARRY, explorateur britannique, hiverne sur son bateau, en 1819, pendant son périple pour explorer l'Arctique, dans les glaces au Nord du Canada. Lui aussi cherche le passage du Nord-Ouest. À bord de son bateau, il cultive du cresson (fine herbe riche en vitamine C) tout près du poêle et il brasse aussi sa bière… Très avant-gardiste comme microbrasseur !

Fridtjof NANSEN, explorateur et naturaliste norvégien de grande classe, prix Nobel de la paix en 1922, précurseur des recherches scientifiques sur le froid, fait de nombreuses découvertes et inventions, dont un réchaud portatif fonctionnant avec un réservoir de carburant sous pression. Pendant sa traversée à ski du Groenland en 1888, il choisit le pemmican[1], un aliment d'origine amérindienne, comme base de son alimentation. Ce dernier connaît une grande vogue chez les explorateurs de cette époque. Un animal était tué, coupé en morceaux puis séché au soleil et apporté comme vivre de survie en expédition. Une variante consistait à le faire chauffer en y ajouta du gras et des fruits sauvages comme l'airelle. Malheureusement, le pemmican de Nansen avait été purifié de gras, ce qui avait entraîné un apport calorique insuffisant durant toute l'expédition. À cette époque, on savait déjà que le gras fournit plus de calories que tout autre nutriment, en plus de rassasier. Son pouvoir d'isolant est aussi reconnu de tous les voyageurs polaires.

1. Mot d'origine amérindienne qui signifie « viande crue séchée au soleil ». Riche en protéines, nourriture traditionnelle qui a permis aux Amérindiens de traverser les siècles en résistant aux rudes hivers nordiques. Pour les explorateurs polaires : préparation de viande de bœuf concentrée et séchée, additionnée de 60 % de graisses animales.

Traversée du Groenland en 1888 : menu quotidien de Nansen

Référence : Nansen, Fridtjof. *À travers le Groenland*, traduit par Charles Rabot, Paris, Hachette, 1893, 395 p.

Déjeuner	Lunch	Collation	Souper
thé ou chocolat, biscuits, pâté de foie et pemmican	limonade, biscuits d'avoine, pâté de foie et pemmican	semblable au lunch	soupe aux pois, aux fèves ou aux lentilles, pâté de foie et pemmican, biscuits

Nansen, le premier à vérifier la théorie des courants marins, écrit l'un des plus beaux chapitres des expéditions polaires, en réalisant son projet ambitieux de se laisser dériver vers le pôle Nord lui-même, jusqu'à une latitude élevée, en laissant volontairement son navire se prendre dans les glaces. À son départ, en juin 1892, son très confortable bateau, *Le Fram*, transporte des vivres pour trois ans. La nourriture représente un kilo par personne par jour de provisions aussi nutritives et légères que possible.

Nansen réalise un des plus passionnants chapitres des expéditions polaires en laissant emprisonner volontairement son bateau, *Le Fram*, dans les glaces de l'Arctique et en se laissant dériver pendant trois ans pour étudier la théorie des courants marins.

25

Expédition vers le pôle Nord 1892 : menu type de Nansen à bord du *Fram*

Référence : Nansen, Fridtjof. *Vers le Pôle*, traduit par Charles Rabot, Paris, Flammarion, 1897, 424 p.

Déjeuner	Dîner : pour se réchauffer, ils mangeaient en marchant	Souper : meilleur moment de la journée	Fêtes
bouillie de gruau	soupe	ragoût de pemmican et de pommes de terre séchées	**Noël :** (pas moins de cinq plats) soupe à l'oxtail
36 g de beurre	viande accompagnée de pommes de terre ou légumes verts ou macaroni	ou gratin de poisson	pudding de poisson
185 g de pain de gluten	dessert	ou soupe de pois, de fèves ou de lentilles avec du pemmican et des biscuits	rôti de renne
pain sec	(le poisson pouvait remplacer la viande; il était séché et pulvérisé afin de faciliter la digestion)	pain de gluten	petits pois
fromage			pommes de terre
corned beef ou mouton en conserve			confiture d'airelles
jambon		**en soirée :**	confiture de baies des marais avec de la crème et des galettes
lard		chocolat bouillant	
caviar de morue		biscuit avec un gros morceau de beurre	**Fête nationale des norvégiens, 17 mai :**
anchois			déjeuner de saumon fumé grog au jus de citron
biscuit de farine d'avoine ou biscuit de mer anglais			champagne fabriqué à bord du *Fram* : produit à partir du jus généreux de la ronce faux-mûrier[2]
marmelade d'orange ou compote			
thé, café ou chocolat			

Tous les aliments sont enfermés dans des boîtes de zinc (métal utilisé sous forme de revêtement pour protéger la boîte contre la corrosion atmosphérique et l'eau de mer). Pour économiser les vivres, ils comptent sur la chasse. La chair des ours et des morses tués pendant l'été, laissée dans la cale, se maintient en parfait état de conservation, car la température oscille aux alentours de 0 °C. Pendant l'été, cette viande est déposée dans un trou creusé, à cet effet, dans la banquise. Le 28 juin, les explorateurs eurent ainsi, pour dîner, un rôti de renne, provenant d'un animal tué au mois de septembre précédent.

2. Noble fruit des régions boréales et arctiques.

La variété du menu surprend parfois. Après avoir abattu un chien de la meute qui souffrait de paralysie, Nansen offre à son équipe une «soupe au sang de chien». Ils mangent de la viande et du lard de phoque dont la chair constitue une nourriture très agréable et la graisse, d'un goût excellent, peut selon Nansen remplacer le beurre. À l'occasion, le menu du déjeuner se compose de graisse crue et celui du dîner d'une grillade. Il ajoute : *Si seulement nous avions eu un bock pour l'arroser !* Pour le souper, les crêpes frites au sang de phoque se révèlent un véritable succès, classé comme plat de premier ordre. À coup sûr, selon Nansen, ces crêpes au sang de phoque et au sucre sont le mets le plus délicat qu'ils ont jamais goûté. Le pemmican à base de viande de phoque se prépare sur le bateau. Matin et soir ils mangent de l'ours, sans jamais se fatiguer. Avis aux gourmets : selon toute son équipe, la poitrine d'ourson constitue un mets de premier choix. Ils boivent une quantité énorme de bouillon d'ours, mais connaissent le danger de consommer le foie de cet animal. Dans le passé, certains Esquimaux en avaient donné à leurs chiens et ces derniers étaient tous morts d'empoisonnement. Aujourd'hui la science a démontré que l'ingestion du foie d'ours, fortement concentré en vitamine A, entraîne la mort. Tous se régalent des morceaux de graisse de morse brûlés au-dessus des lampes. Nansen a gagné 10 kg en 15 mois. Il affirme qu'il doit ce résultat à la nourriture, composée exclusivement de graisse et de viande d'ours.

La soif cause aussi des souffrances terribles dans les déserts de glace. Nansen règle ce problème en emportant de petites bouteilles en caoutchouc qu'il remplit d'eau le matin, après avoir fait fondre de la neige, et qu'il porte sur sa poitrine pour éviter que l'eau ne gèle.

Robert PEARY, un Américain, atteint le pôle Nord en 1909. Il croyait ferme à la nécessité de réduire au minimum le poids et le volume des provisions tout en ayant la quantité nécessaire. Les caribous tués s'ajoutent aux provisions et la peau sert à fabriquer les sacs de couchage. La nourriture pour ses chiens provient de la chasse. Des steaks de morse et de bœuf musqué réjouissent toutes les papilles. C'est Peary qui nous a appris à consommer des vivres de course plutôt qu'un repas chaud le midi. Les pauses écourtées, on profite ainsi des meilleures heures d'ensoleillement pour avancer. Vers la fin de son périple, il tuait ses chiens pour se nourrir et il affirme que même le brandy trois étoiles gèle en permanence.

Aussitôt le pôle Nord atteint, les grands explorateurs se tournèrent vers le pôle Sud. Tous les journaux de bord des explorateurs des derniers siècles démontrent que, pour survivre dans les régions polaires, il faut adapter son alimentation. Les vivres consommés visent à augmenter la

27

production de chaleur. Dans l'Arctique, par exemple, les Inuits vivent confortablement au froid, grâce à leur nourriture à base de viande de caribou et de phoque riche en protéines. Par contre, au centre du continent Antarctique, l'absence d'animaux force les explorateurs en course vers le pôle Sud à apporter leur nourriture.

En 1909, sir Ernest SHACKLETON, explorateur britannique de nationalité irlandaise, a presque atteint le pôle Sud. Sir Ernest, disait-on, ne pouvait respirer qu'à l'altitude de l'impossible. Pour son expédition, il choisit des denrées très nutritives. Sa cuisine privilégie la quantité plutôt que la variété. Il calcule scientifiquement ses provisions. La base des repas consiste en biscuits et pemmican. Les biscuits ne contiennent pas plus de 3 % d'eau. La teneur en eau du pemmican est également insignifiante. Il importe en effet, pour réduire au minimum le poids des vivres, que les aliments subissent une déshydratation maximale. Après 11 mois d'expédition, certains des poneys commencent à faiblir et finissent par servir de supplément de viande. En plus d'avoir apporté une caisse de maïs, des biscuits, du sucre et de l'huile, ils avaient prévu et préalablement placé des dépôts de viande le long d'une partie du trajet.

Shackleton vers le pôle Sud en 1908 : son menu quotidien et des jours de fête

Référence : Shackleton, Sir Ernest Henry. *Au cœur de l'Antarctique*, Paris, Phébus, 1994, 217 p.

Déjeuner	Dîner	Souper	Fêtes
thé	pemmican	cacao	ragoût de lard et petits pois
biscuit	biscuits à base de farine de froment et de lait en poudre	pemmican	eau-de-vie
fromage	thé ou Oxo	biscuits	

Shackleton, conscient du problème du scorbut, souhaite que la viande de poney fraîchement décongelée les en préserve. Cette viande a beau fournir un excellent bouillon, personne n'en apprécie la chair, médiocre au goût, souvent filandreuse et coriace. Ils se disent pourtant heureux de pouvoir quelquefois en sucer des lambeaux crus et gelés.

Malgré une ration importante d'aliments ajoutés au cas où le séjour serait prolongé, plusieurs explorateurs deviennent obsédés par le manque de nourriture. Shackelton écrit que la nourriture occupe toutes ses pensées et se trouve au centre de toutes leurs conversations, mais toujours sur le mode le plus sérieux. Il constate que la faim rabaisse les hommes à l'état primitif. Ensemble ils décrivent des repas pantagruéliques qu'ils se proposent de faire une fois de retour dans les régions civilisées. Ils notent sur la dernière page de leur journal le menu de ces repas. Ils rêvent de toutes ces délicieuses choses qui ornent la devanture des boulangeries. Shackleton avoue que pour réussir le pôle il aurait fallu apporter plus de vivres, mais comment résoudre le problème du transport? En ration supplémentaire, pour tenter de calmer leur faim, ils avalent le maïs, prévu pour les poneys, qu'ils broient entre deux pierres plates. Ils souffrent fréquemment de crampes musculaires. Un jour de grande chance, ils s'approchent d'une rookerie[3] et dînent d'œufs de manchots, un moment de délices en raison de sa nouveauté.

Encore dans la première décennie du XXe siècle, en préparation pour la course à la conquête du pôle Sud, trois membres de l'expédition de l'explorateur britannique Robert Falcon SCOTT se livrent à une expérience concluante. Au cours d'un raid de cinq semaines en Antarctique, l'un se nourrit à moitié de pemmican et de biscuits; le second presque uniquement de pemmican et le troisième presque uniquement de biscuits. Après deux semaines, les deux premiers se portent bien, mais le troisième souffre continuellement de gelures. En s'appuyant sur cette expérience, Scott établit ses rations pour son raid en 1910-1912 vers le pôle Sud. De plus, des équipes de soutien partent préalablement faire des dépôts de matériel et de nourriture pour les hommes, les chiens et les poneys. Au bout d'un mois d'expédition, on tue le dernier des 10 poneys du départ. Rendus à 250 km du pôle Sud, plusieurs hommes retournent vers le point de départ faute de provisions suffisantes pour soutenir tout le monde. Arrivé au pôle Sud en janvier 1912, avec quatre de ses compagnons, Scott apprend avec déception que l'explorateur norvégien Roald Amundsen, malgré le fait qu'il soit parti deux semaines après lui, l'a précédé d'un mois. Mais pour Scott, les problèmes commencent vraiment sur le chemin du retour.

3. Une rookerie, ou roquerie, désigne une colonie d'oiseaux qui se regroupent pour se protéger du froid.

Roald Amundsen, un des explorateurs les plus célèbres, a connu le succès grâce à une excellente planification et fut un des rares à ne pas vivre de problèmes alimentaires. Au retour du pôle Sud, à mi-chemin, il écrivait dans son journal : *Nous avions une telle quantité de biscuits que nous aurions pu en semer autour de nous.*

Au début du voyage de retour, les vivres se trouvaient déjà très réduits. Le journal des explorateurs devient un récit harassant de luttes infernales d'un dépôt à l'autre, pour retrouver les vivres qui leur permettront de continuer. À 90 km de l'arrivée, avec deux jours de vivres et à 18 km seulement d'un important dépôt de vivres, le terrible blizzard de l'Antarctique les empêche de sortir de la tente pendant une semaine. Épuisés, affamés et gelés, ils meurent les uns à la suite des autres, dans leurs sacs de couchage. Ce fut le chapitre le plus dramatique de l'histoire de l'Antarctique. Scott tient un journal pathétique en attendant la mort. Il trouve un dernier réconfort à l'idée de se sacrifier pour la gloire de sa mère patrie, l'Angleterre.

AMUNDSEN, célèbre par sa traversée du passage du Nord-Ouest en 1906, atteint le pôle Sud en décembre 1911. Il suit l'exemple de Peary qui avait utilisé des chiens pour atteindre le pôle Nord. Il prévoit des dépôts de provisions, marqués par des balises visibles à distance. Il décide à l'avance du moment et de l'endroit où il sacrifiera ses chiens pour nourrir ses hommes et les autres chiens. Pendant cette expédition, les hommes abattent tous leurs chiens sauf les 18 plus robustes et organisent plusieurs dépôts de viande. Amundsen s'installe au pôle Sud durant quelques jours et y laisse sa tente, quelques provisions et une lettre pour Scott. Le retour s'avère plus aisé; ils n'ont même pas à s'arrêter aux dépôts devenus inutiles... À mi-chemin, Amundsen écrit dans son journal : *Nous avions une telle quantité de biscuits que nous aurions pu en semer autour de nous.* Leurs vivres comprennent des légumes séchés, des lentilles, de la farine d'avoine et du lait en poudre.

À partir de cette période, les grandes explorations diminuent et les explorateurs donnent leur place aux grands voyageurs et aventuriers. Ces derniers peuvent profiter d'une évolution rapide de la technologie alimentaire. Vers 1920, la découverte des premières vitamines et la mise au point de plusieurs méthodes de conservation des denrées périssables contribuent au succès de leurs séjours en régions éloignées et souvent sous des climats hostiles. D'ailleurs de nombreuses expéditions deviennent rapidement convoitées par la communauté scientifique pour diverses études sur la nutrition, l'adaptation au froid, l'environnement et la résistance des matériaux.

30

De nos jours...

Depuis ce temps, pour les séjours plus ou moins prolongés en régions sauvages, les scientifiques ont mis au point la fabrication de suppléments vitaminiques et minéraux. Au début des années 60, l'arrivée des expériences aérospatiales stimule les progrès en technologie alimentaire; la NASA développe et met au point la technique de la lyophilisation, connue sous le nom de *freeze-drying*. Ce procédé résulte de la combinaison de la congélation et du séchage. La mise sur le marché de produits alimentaires instantanés, des produits céréaliers précuits et la technologie de l'empaquetage sous vide découlent de ces découvertes. Que ce soit en montagne, au bord d'un lac, dans le désert, dans le Grand Nord ou les régions polaires, grâce au plaisir de manger et au progrès de la technologie alimentaire en cette fin du XXe siècle, les pique-niques et la cuisine en plein air ressemblent plus à un repas gastronomique que les rations de ces grands explorateurs. Plus près de nous, voici les nouveaux menus des séjours en plein air.

Notons particulièrement l'aspect nutritionnel très scientifique de l'expédition en solitaire au pôle Nord, en 1986, de Jean-Louis ÉTIENNE, médecin français et spécialiste en nutrition du sport. Pour 1 kg de nourriture /jour qui fournissait entre 4000 et 5000 kcal, voici la variété du menu :

Jean-Louis Étienne au pôle Nord en solitaire en 1986 : menu quotidien pendant 65 jours

Référence : Étienne, Jean-Louis. «Une victoire à 300 000 calories», *La Tribune médicale*, numéro spécial (oct. 1986), p. 32-34.

Petit-déjeuner	Goûter	Vivres de course	Souper
semoule de blé précuite lait en poudre entier fruits secs lyophilisés chocolat, beurre, sucre	muesli	pâte d'amandes chocolat galettes de pain enrichi d'huile d'olive et de beurre tablette de dextrose	soupe instantanée plats lyophilisés de viande ou de poisson avec des pâtes ou de la purée de pomme de terre ou de la semoule compote de fruits lyophilisée

Malgré tous ces choix et la qualité gastronomique du menu, il fait toujours trop froid pour apprécier... Les régions polaires n'ont pas changé, il faut de la motivation et du caractère pour suivre les traces des grands... Dans son journal de bord de la Transantarctica en 1989-1990, la plus grande traversée de l'Antarctique à l'époque, Jean-Louis Étienne parle de sa nourriture : *un repas* constitué d'une mixture confuse : *fruits secs, soupe instantanée, chocolat, pâte d'amande; tout ça, dans le même bol où l'eau chaude arrive un tantinet à dégeler ce «brouet polaire» afin de le rendre... comestible !* (extrait, p. 53). Il compare sa bouffe à de la poudre pour gallinacés. Le moment du lunch est le plus cruel de la journée à cause du froid et de l'humidité dans la tente; les noix, le chocolat et la barre granola sont dégelés dans l'eau chaude du thermos afin d'éviter de se casser les dents !!!

Quand j'ai décidé d'aller seul au pôle Nord, je me suis trouvé face à une équation difficile à résoudre : donner à son corps l'énergie suffisante pour à la fois tirer un traîneau bien lourd sur une glace chaotique et compenser les pertes caloriques dues aux très basses températures permanentes. Autrement dit, quelle nourriture mettre dans mon traîneau afin qu'elle soit riche, équilibrée pour l'effort, de bon goût et le plus léger possible !

En 1985, pour ma première tentative, après une semaine de marche, j'avais une irrésistible faim de graisse, les masses musculaires commençaient à fondre. Au bout de quinze jours j'ai abandonné, blessé et épuisé. En 1986, j'ai rééquilibré ma ration, et après 63 jours de marche, j'ai atteint l'axe de rotation de la terre.

Bien choisir son alimentation est un atout fondamental, pour le simple plaisir d'une balade ou la réussite d'une longue expédition.   *Jean-Louis Étienne*

Traversée de l'Antarctique 1989-1990 : menu quotidien

Référence : Étienne, Jean-Louis. *Transantarctica, La traversée du dernier continent*, Éditions Robert Laffont, 1990, p. 311.

Déjeuner	Lunch	Souper	Supplément
gruau, semoule de blé	soupe instantanée	pemmican (60/40 d'un mélange de bœuf, porc et lard)	pâte d'amandes, café, tisane, thé
pain granola, beurre	noix et fruits secs	fromage, beurre	vitamines et minéraux
chocolat, lait en poudre	chocolat	soupe épicée, riz, pâtes ou pommes de terre	pain sec, maïs soufflé
	barre granola ou biscuit	desserts lyophilisés	conserves de thon, sardines, saumon
			épices particulières de chaque membre de l'expédition

Une autre expédition qui innove grandement dans la planification des menus pour expéditions de grande envergure, c'est la traversée franco-québécoise de l'île Ellesmere à skis avec pulka[4], au printemps 1992. En charge de l'aspect nutritionnel de cette expédition, j'ai expérimenté pour la première fois un menu différent sur un cycle de deux semaines. Par la suite il a été possible d'optimiser cette approche en travaillant avec d'autres aventuriers sous diverses latitudes. Étant donné qu'ils partaient pour trois mois, le même plat ne se répétait que six fois. J'ai choisi des recettes que chaque membre aimait beaucoup. À cause du manque d'aliments frais, un supplément de multivitamines et minéraux faisait partie de la ration alimentaire journalière. De plus il y avait deux dépôts de nourriture, un baril déposé au lac Hazen et l'autre sur Alexandra Fjord. Dans ces barils, il y avait des surprises comme du chocolat, des fromages fins, des viandes savoureuses, des gâteaux et des mots d'amour. Pour commencer la journée, que dire de granolas faits maison accompagnés d'un yogourt lyophilisé et de galettes polaires, d'une crème de blé

En avril, pendant le premier mois de la traversée de l'île Ellesmere, les skieurs consommaient jusqu'à 8000 kilocalories par jour sous des températures de −60 °C. À la fin de l'expédition, en juin, j'ai eu la chance de skier sur la dernière calotte glacière entourée de paysages féeriques.

amandine, d'un couscous aux bananes et même de fèves au lard lyophilisées avec sucre d'érable déshydraté. Les vivres de course étaient composés de GORP (*Good old reliable peanuts*), un mélange de noix séparé d'un mélange de fruits séchés, de bœuf des Grisons, pâte d'amandes, barres énergétiques, biscuits aux algues, cuir de pomme, sucre à la crème, thermos de bouillon salé et thermos de thé. Le menu du soir offrait une table d'hôte avec choix de 14 plats déshydratés ou lyophilisés :

4. Appellation scandinave pour désigner un traîneau.

par exemple, lapin aux pruneaux, pâté au saumon, gratin dauphinois et jambon Forêt Noire, macaroni à la viande, lentilles à la romaine, couscous, Chili con carne, potée de Timothé (du nom du fils d'un des membres de l'expédition) et du soyann, à base de fèves de soya lyophilisées (pour Yoann, leur jeune ami). Toutes ces attentions soutenaient le moral de l'équipe... Pour cette expédition internationale, l'aspect psychologique de l'alimentation a retenu l'attention. En dessert, ils dégustaient des compotes de poires, de pommes ou d'abricots lyophilisées ou du pudding au chocolat, à la vanille ou à l'érable. En soirée, ils choisissaient de se priver de tisane afin de ne pas avoir besoin d'uriner avant le matin; sortir du sac de couchage en plein milieu de la période de sommeil, à −45 °C, faisait perdre énergie et chaleur. La nourriture représentait 1,2 kg par personne, par jour. Au retour, deux skieurs accusaient une perte de poids marquante, tandis que le troisième avait pris un kilo, son rêve depuis longtemps ! Il m'en parle encore aujourd'hui. Le taux de cholestérol total trop élevé au départ était revenu à la normale pour tous les membres de l'expédition.

Traversée de l'île Ellesmere 1992 : choix au menu quotidien

Référence : Dumais, Odile. Recueil de textes, Cours Kin 1050-Plein Air et Nutrition, UQAM, 1992.

Déjeuners	Vivres de course	Soupers	Dépôts
muesli fait maison	GORP salé (noix)	Potages	beurre d'arachides
yogourt lyophilisé	GORP sucré (fruits)	Parmentier au jambon	cretons
lait entier en poudre	bœuf des Grisons	Taboulé	fromage
fèves au lard lyophilisées	pâte d'amandes	Pâté au saumon	pain complet
sucre d'érable séché	cuir de pomme	Potée de Timothé	végépâté
gruau aux fruits	carrés énergétiques	Chili	gâteau aux fruits
couscous aux bananes	biscuits aux algues	Lapin Marion	gâteau aux carottes
crème de blé amandine	sucre à la crème	Riz à l'orientale	biscuits de fantaisie
galettes polaires	cristaux à saveur de fruits	Couscous Baffin	Suppléments multivitamines et minéraux.
café, thé, lait au chocolat	barres tendres	Soyann	
	thé glacé	Lentilles à la Romaine	Desserts : compotes aux différents fruits, pudding au lait et au chocolat
		Macaroni	
		Chaudrée de crevettes à l'ail	
		Fettucine carbonara	
		Riz au poulet BBQ	

En décembre 1994, la Norvégienne Liv ARNESEN atteint le pôle Sud en autonomie complète et réussit l'exploit en 50 jours après 1200 km de solitude. Les trois cinquièmes de sa ration alimentaire se composent de gras sous forme d'huile de soya, de crème en poudre ajoutée au muesli, de biscuits au chocolat, de noix ainsi que de la pâte d'amandes. Le dernier repas de la journée comprend une bonne quantité de soupe, de riz et de viande lyophilisée.

En 1995, Richard WEBER, ingénieur canadien, et Mikhail MALAKHOV, un médecin russe, réalisent un aller-retour au pôle Nord à partir de Warden Island. Ils réussissent cet exploit unique dans l'histoire en autonomie complète, avec 460 kg de matériel réparti sur 4 pulkas et 2 sacs à dos où la nourriture représente 1,2 kg/pers./jour. Ils s'alimentent de gruau, pain séché, pâtes alimentaires, noix moulues, poudre de lait entier, fromage, riz et gras animal. Malgré les 7000 kcal, la nourriture, même vue comme une récompense, ne les satisfait jamais assez. Vers la fin de l'expédition, ils arrivent à peine à goûter les aliments à cause de l'état de leurs lèvres brûlées par le soleil et de leurs papilles gustatives trop sèches. La gelée de framboise et le beurre d'arachide semblent une pâte insipide.

Expédition aller-retour au pôle Nord

Référence : Weber, Richard. *Polar Attak, from Canada to the North Pole, and Back*, Ed. McClelland & Stewart, 1996, 232 p.

Déjeuner	Vivres de course	Soupers
gruau instantané	lard fumé	soupe
beurre d'arachide	saucisson sec	pâtes ou riz
lait entier en poudre	noix	pemmican de bœuf ou de fromage sec
raisins secs	chocolat	
café instantané	sukhari (pain russe sec aux raisins)	crème lyophilisée
supplément vitaminique		biscuits pilote
	beurre	thé
	bonbons	
	boisson énergétique	

Richard Weber écrit à son retour : *Il est possible de skier vers le pôle Nord avec un équipement imparfait, mais si le corps manque d'énergie, même la personne la plus motivée échouera. Un engin ne peut tout simplement pas fonctionner sans carburant. La diète constitue, peut-être, le plus important facteur de succès de mes expéditions. Cette diète doit être digestible, complète (nutriments adéquats), fournir assez d'énergie et avoir bon goût. Sur l'océan Arctique, les choses plaisantes ne sont pas si nombreuses, la nourriture en est une, il faut qu'elle soit délicieuse.*

Voici un autre bel exemple d'expéditions scientifiquement planifiées du point de vue nutritionnel. Les expéditions solo de l'ingénieur norvégien Borge OUSLAND, le seul au monde à avoir atteint les deux pôles en solitaire et en autonomie totale, et ce, à deux ans d'intervalle; ainsi que sa traversée en solitaire du continent Antarctique, soit 2845 km en 64 jours à skis en tirant un traîneau. Comme source de gras, il choisit l'huile de foie de morue ou encore le mélange à parts égales d'huiles de soya, noix et canola, qu'il consomme à même la bouteille. Son lunch se compose principalement de 100 g de gras pur. « *Too great* », comme il dit.

À l'université d'Oslo, le docteur Holm, professeur de nutrition, m'a communiqué les plus grands secrets énergétiques de Borge. Exceptionnel ! Borge qualifie ses expéditions de philosophiques, scientifiques, un peu médiatiques, mais il les considère avant tout comme un grand défi sportif et un dépassement de soi. Il prépare lui-même ses provisions pour son expédition. Il fait son menu et son épouse, reconnue pour son gâteau aux amandes avec cossetarde, cuisine ses plats. Borge en parle tout au long de son livre *Alone to the North Pole*. Il fait lyophiliser (technique de séchage à froid) ses plats du soir, les pèse et les emballe, le tout avec une précision extrême. Sa ration journalière pèse un kilo et certains jours légèrement plus. De trois à six semaines avant son départ, il commence à s'adapter à sa diète en s'alimentant comme il devra le faire sur le terrain. En même temps, son entraînement physique rigoureux se rapproche de ce qu'il aura à réaliser au pôle. Le docteur Holm dit : « *He is an athlete who has done his homework*. » Il essaie aussi de prendre quelques kilos en consommant du chocolat et de l'huile d'olive régulièrement entre les repas. Ses calculs très rigoureux concernent même les 250 m de papier de toilette et le livre de lecture, choisi pour le nombre de mots au prorata du poids du livre ! Il tire une pulka de 180 kg, ce poids diminuant d'au moins 1 kg par jour (la nourriture + le naphte). En 1996, pour la traversée de l'Antarctique, ses rations des premiers jours lui fournissent 6393 kcal pour un parcours difficile avec le vent de face. Les jours suivants étant moins difficiles, il diminue sa ration à 5748 kcal. Il a souvent ressenti des maux d'estomac à la suite de l'ingestion de trop grandes quantités de nourriture à la fois, tellement il avait faim. En solo vers le pôle Nord, il a perdu 15 kg au cours de deux mois d'expédition, même si son alimentation comportait une quantité de gras représentant 60 % des calories totales. Le docteur Holm affirme qu'aucune diète ne peut satisfaire le genre de besoins provoqués par l'activité musculaire excessive et le besoin de réchauffement trop intense de l'organisme. L'aventurier se trouve inévitablement voué à avoir faim. Borge se demande encore quelle nourriture lui permettra de skier contre le vent tout en assouvissant son appétit extraordinaire.

Toutes ces expériences nous ont permis d'avancer, d'innover et de comprendre l'importance de planifier l'aspect nutritionnel d'un séjour plus ou moins long dans la nature.

2 Bien manger

POUR BIEN MARCHER, GRIMPER, PAGAYER OU PÉDALER

Bases théoriques
de l'alimentation

Les besoins énergétiques et nutritionnels varient selon l'âge, le sexe, la taille, le poids, l'état de santé, le degré d'activité physique et le climat. À la montée du glacier Coronation en Terre de Baffin, j'ai constaté l'exigence physique de tirer un traîneau contenant 70 kg de matériel.

Les bases de l'alimentation rebutent souvent les non-initiés. Voici donc une version simplifiée des besoins caloriques et nutritionnels pour les gens qui pratiquent des activités de plein air. Les plus curieux trouveront en annexe des textes et tableaux concernant l'évaluation des dépenses énergétiques, le calcul des besoins en calories selon les activités de plein air pratiquées ainsi que la répartition calorique de la consommation alimentaire journalière.

Que ce soit pour réaliser des sorties de plein air bucoliques ou des exploits sportifs, une alimentation adéquate en quantité et en qualité s'impose afin de mieux performer, de profiter d'une capacité physique plus résistante et de favoriser une meilleure récupération.

De par le monde, une grande variété d'aliments existe en fonction des conditions géographiques, climatiques, économiques et socioculturelles pour satisfaire les besoins énergétiques et nutritionnels de l'homme, que ce soit des aliments d'origine animale (viandes, volailles, poissons, œufs, produits laitiers) ou d'origine végétale (fruits, légumes, produits céréaliers, légumineuses, noix, graines et certaines huiles).

Malgré les apparences et les saveurs extrêmement diversifiées, la composition chimique des aliments demeure sensiblement la même. Leur valeur énergétique et nutritive évaluée en fonction des nutriments qu'ils contiennent les divise en six groupes : glucides, lipides, protéines, vitamines, minéraux et eau. Transformés par la digestion ou absorbés directement dans l'intestin, les nutriments que nous mangeons se retrouvent utilisés par les cellules de l'organisme. Chaque groupe de nutriments joue un rôle spécifique et son activité crée un équilibre avec celle des autres nutriments. Certains agissent sur le plan énergétique (glucides, lipides et protéines), d'autres sur le plan structural (protéines et minéraux) ou encore sur le plan régulateur (vitamines, minéraux et eau).

< L'île Spitzberg, située à mi-chemin entre le cercle polaire et le pôle Nord, est recouverte d'immenses glaciers encadrés de falaises et de pics enneigés. Pendant cette expédition hivernale à skis, j'ai consommé en moyenne 5 200 kilocalories par jour !

Les besoins quotidiens en énergie et en nutriments varient selon différentes caractéristiques de l'individu : l'âge, le sexe, la taille, le poids, le degré d'activité physique, le climat et l'état de santé. La teneur en nutriments des aliments fluctue selon le conditionnement environnemental (engrais chimiques ou compost), leur origine régionale, la durée de l'entreposage, le procédé de cuisson ainsi que par le traitement éventuel de transformation.

Besoins énergétiques

La consommation et les dépenses énergétiques doivent demeurer équilibrées pour maintenir la performance parfois très exigeante en plein air. Nos pauses en vélo, lors de la traversée d'un col à 3500 m sous le soleil de plomb du Venezuela, avaient lieu obligatoirement à chaque demi-heure pour satisfaire la demande d'énergie.

Le besoin énergétique d'un individu tel que le définit l'Organisation mondiale de la santé (OMS) correspond au «niveau d'énergie consommée qui balance avec l'énergie dépensée pour tout individu pratiquant un niveau d'activité physique conséquent avec une bonne santé à long terme». En évaluant l'énergie dépensée par un individu, on obtient ses besoins de consommation. La quantité consommée s'équilibre avec la quantité dépensée pour maintenir un poids constant.

L'organisme fabrique son énergie dans la cellule. La fabrication de l'énergie produit de la chaleur accompagnée d'une élévation de la température du corps. Les lipides, plus rentables à ce point de vue, fournissent 9 kcal par gramme consommé, comparativement aux glucides et aux protéines qui ne fournissent que 4 kcal par gramme. Ce phénomène explique qu'en randonnée à pied ou en skis, en canot ou en kayak, lorsque le poids de l'équipement devient une contrainte et que les aliments choisis doivent fournir le maximum de calories, les lipides constituent le choix le plus juste.

Si la consommation alimentaire ne couvre pas les dépenses de l'organisme, il peut y avoir un épuisement des réserves et une diminution de la masse maigre (muscles), ce qui représente un danger à surveiller. Les besoins énergétiques ont été établis pour maintenir une bonne santé et un degré d'activité physique approprié à une vie de qualité, satisfaisante et performante.

En plein air, la quantité suffisante de nourriture fait partie du plaisir et de la sécurité. Manger à sa faim demeure une grande satisfaction physique et psychologique. Les dépenses énergétiques

42

sous-évaluées faussent les prévisions de la quantité de nourriture nécessaire. En plein air, avoir faim peut devenir une obsession pour plusieurs quand la quantité restreinte de nourriture et des besoins parfois extraordinairement élevés se conjuguent. Toujours considérée comme une source de plaisirs, la nourriture peut alors devenir la source des plus grands conflits.

Afin d'éviter que des problèmes de manque de nourriture ne viennent gâcher les activités de plein air ou les expéditions, il est important de se familiariser avec les concepts d'énergie et de nutriments.

Unité de mesure de l'énergie

Dans le système international, l'unité standardisée de mesure d'énergie se nomme le joule. Les besoins énergétiques de l'organisme et la valeur énergétique des aliments s'expriment en kilojoules ou en kilocalories selon l'ancienne mesure. Si on dispose de chiffres exprimés en kilocalories et que l'on veut les transformer en kilojoules (kJ), il suffit de les multiplier par 4,184.

1 kilocalorie (kcal) = 4,184 kilojoules (kJ)

La valeur calorique des aliments :

1 gramme de glucides produit   4 kcal, soit 17 kJ
1 gramme de protides produit   4 kcal, soit 17 kJ
1 gramme de lipides produit   9 kcal, soit 38 kJ

Exemple de la valeur calorique de la barre granola
Une barre granola contenant

20 g de glucides   =   80 calories   (335 kJ)
4 g de lipides   =   36 calories   (151 kJ)
2 g de protéines   =   8 calories   (33 kJ)
total des calories =   124 kcal   (519 kJ)

Besoins nutritionnels

Protéines

Les protéines, substance même de toutes les cellules vivantes, entrent dans la composition des tissus et de presque tous les aliments, en concentration et en qualité variables. Elles fournissent à l'organisme des matériaux pour assurer la croissance et le renouvellement de ses constituants. Il faut assurer la régénérescence permanente des protéines par une alimentation adéquate. Donc, la quantité et la qualité des protéines consommées quotidiennement revêtent une grande importance pour la constitution des cellules.

Les fonctions des protéines varient. Composantes importantes de la peau et des poils, les protéines forment la matière contractile du muscle, elles constituent les enzymes, les anticorps et de nombreuses hormones. Elles peuvent agir comme énergie de secours, si l'apport en lipides ou en glucides dans l'alimentation journalière devient insuffisante. Leur contribution pour l'activité musculaire paraît toutefois minime comparativement à celle des glucides et des lipides. Lorsque la quantité de protéines ingérée excède les besoins, le foie les convertit en gras et elles peuvent ainsi être utilisées pour la production d'énergie. Elles fournissent 4 kcal par gramme.

La teneur et la nature des protéines varient d'un aliment à l'autre. Très concentrées dans le blanc d'œuf, la viande maigre, le gibier, la volaille, le poisson, le lait, le fromage et les légumineuses, elles se trouvent en plus faible quantité dans les céréales, noix et graines; les fruit et les légumes en contiennent encore moins. Les protéines doivent d'abord subir la digestion pour que les cellules puissent les utiliser. Elles se décomposent en pièces détachées appelées acides aminés ou en peptides, union de deux acides aminés et plus, puis se recomposent selon un code programmé pour fabriquer des protéines conformes au besoin de l'humain.

Parmi la vingtaine d'acides aminés différents, on doit à tout prix en trouver huit (neuf chez l'enfant) dans notre alimentation, parce que l'organisme ne peut les synthétiser en quantité adéquate et dans les bonnes proportions. Appelés acides aminés indispensables, ils doivent donc figurer au menu de chaque repas. Certains aliments les contiennent tous en grand nombre et en grande qualité : ce sont les protéines d'origine animale, aussi appelées protéines complètes pour cette raison. Elles se trouvent principalement dans la viande, le gibier, la volaille, le poisson, les œufs et les produits laitiers. Les protéines d'origine végétale, dites incomplètes à cause de l'absence ou du faible contenu d'un ou de plusieurs de ces huit acides aminés indispensables, se trouvent dans les produits céréaliers, les légumineuses, les noix, les graines, les fruits et légumes. Les protéines d'origine animale, dites de haute valeur biologique, surpassent donc les protéines d'origine végétale à cause du nombre et de la qualité des acides aminés indispensables qui les constituent.

Complémentarité des protéines

Le rendement des protéines incomplètes ou de moins bonne qualité se voit amélioré par l'ingestion d'autres protéines contenant les acides aminés manquants. Voici des exemples de complémentarité fournie par la combinaison d'aliments :

Exemples de plats contenant des protéines complètes :
Céréale + légumineuse
    Le riz ou le pain supplémentent bien une soupe aux lentilles
    La semoule du couscous est complétée par les pois chiches
Légumineuse + graines
    Hoummos : pois chiches réduits en purée avec des assaisonnements et du beurre de sésame
    Tofu grillé parsemé de graines de sésame
Céréale + produit d'origine animale
    La complémentarité par un produit animal est très efficace
    Les céréales complétées par le lait, le pain avec le fromage ou encore un plat de pâtes garni de fromage râpé
    Un pudding au riz fournit des protéines complètes grâce aux œufs ou au lait.

Apport en protéines

L'apport en protéines recommandé par l'OMS comme standard alimentaire canadien a été fixé pour l'adulte à environ 1 g/kg de poids corporel par jour. Le travail qui exige de la force, l'activité physique et la sudation influencent les besoins de façon significative et peuvent augmenter cet apport jusqu'à 1,5 et même 2 g/kg.

Pour un apport adéquat en protéines exprimé en g/ kg de poids corporel et par jour pour un adulte

femme = 0,9 g/ kg   homme = 1 g/ kg

Une femme de 60 kg a besoin de 0,9 g/kg/jour x 60 kg = 54 g de protéines par jour.

La même femme réalisant une randonnée de 10 jours à vélo, à 120 km par jour, a un besoin se rapprochant de 1,5 g/kg/jour x 60 kg = 90 g de protéines par jour.

Une trop grande consommation de protéines par rapport aux besoins augmente le travail du rein et les besoins en eau. Le corps ne peut emmagasiner l'excédent de protéines et les reins requièrent un surplus d'eau pour éliminer les composés supplémentaires provenant de la transformation des protéines.

Aliments riches en protéines dans un menu pour le camping

	Quantité		Protéines (grammes)
lait écrémé en poudre	80 ml	(1/3 tasse)	9
fromage de type cheddar	28 g	(1 once)	7
riz cuit	250 ml	(1 tasse)	4
lentilles cuites	125 ml	(1/2 tasse)	8
beurre d'arachide	30 ml	(2 c. à soupe)	8
pain de blé entier	1 tranche		3
bœuf haché	100 g frais ou 25 g déshydraté (environ 1/3 tasse)		23
poisson	100 g frais ou 25 g déshydraté (environ 1/3 tasse)		22
poulet	100 g frais ou 25 g déshydraté (environ 1/3 tasse)		20
œuf lyophilisé	36 g	ou 2 œufs frais	10
noix et graines mélangées	125 ml	(1/2 tasse)	12
Chili con carne déshydraté	125 ml	(1/2 tasse)	18
jerky	30 g (environ 1/3 tasse)		24

46

Glucides

Le mot glucide vient de «glucis» qui signifie douceur. Les glucides se retrouvent dans l'organisme sous forme de glucose en circulation dans le sang, appelé glucose sanguin, et de glycogène dans le foie et les muscles. Ils jouent un rôle strictement énergétique. Le glucose sanguin est l'unique source d'énergie pour le cerveau, tandis que le glycogène du foie et des muscles constitue une réserve d'énergie rapidement utilisable pour l'activité musculaire.

Les glucides englobent les sucres simples, les sucres composés et les sucres complexes. Le glucose, un sucre simple, formé d'une seule molécule, est directement absorbé dans le sang au niveau de l'intestin et transporté vers les muscles et le foie où il est mis en réserve. Pour cette raison, on l'appelle aussi sucre rapide, car il fournit de l'énergie en quelques minutes après l'ingestion. Il ne fournit donc de l'énergie qu'à court terme. Toutefois l'absorption du fructose, un autre sucre simple abondamment répandu dans l'alimentation, se fait moins rapidement que celle du glucose, puisque le fructose doit être transformé en glucose avant d'être utilisé. Dextrose et lévulose sont les noms commerciaux respectifs du glucose et du fructose.

Sucres simples

Glucose >	miel, fruits mûrs, fruits séchés, carottes, maïs fraîchement cueilli, navet
Fructose >	miel, fruits mûrs, fruits séchés, sirop de maïs, sucre de table

Les sucres composés sont formés de deux molécules de sucres simples, et parmi les plus connus on trouvent :

Le saccharose :	glucose + fructose
Le lactose :	glucose + lactose
Le maltose :	glucose + glucose

Leur digestion se fait rapidement mais pas autant que celle des sucres simples. Le saccharose, ou sucre raffiné (ou succrose), est en partie responsable de la carie dentaire. Cette forme de sucre se trouve dans les produits de confiserie et n'a aucune valeur nutritive; elle ne fait que fournir des calories, d'où l'expression «calories vides».

Saccharose > sucre blanc, sucre de canne ou de betterave, cassonade,
melasse, confiture, chocolat, sirop d'érable, de maïs, de riz, etc.

Lactose > lait, très peu dans le yogourt car le lactose du lait est digéré par les
lactobacilles, ce qui donne comme résidu de digestion l'acide lactique
responsable du goût aigre. Le fromage n'en contient à peu près pas.

Maltose > il provient du malt ou de l'amidon et il est présent entre autres dans l'orge germé.

Dans la pratique d'activités de plein air, les vivres de course, surtout, contiennent des quantités importantes de sucres raffinés, notamment les barres énergétiques, le chocolat et les boissons à saveur de fruits. Puisqu'ils sont des «calories vides», dans un menu «santé» les sucres raffinés devraient être réduits au minimum. Au cours d'une randonnée ou en camping, la pratique régulière de mesures d'hygiène buccale s'impose. En effet, se rincer la bouche avec de l'eau après chaque consommation d'aliments le moindrement sucrés, se brosser les dents quotidiennement et passer la soie dentaire empêchent la formation de la plaque bactérienne.

Les sucres complexes, c'est-à-dire l'amidon et les fibres alimentaires, sont formés de grosses chaînes de molécules de glucose dont le poids et la forme varient suivant leur origine. L'amidon, d'origine végétale seulement, se trouve en grande quantité dans tous les aliments dérivés des céréales (farine, pain, pâte, riz...), ainsi que dans les légumineuses et les légumes dits féculents, comme les légumes racines et les tubercules. La digestion de l'amidon dure de une à quatre heures; l'amidon est alors réduit en sucre simple, le glucose. L'amidon ainsi transformé fournit beaucoup d'énergie. Chacun des repas devrait en contenir.

Les nombreuses pauses faites régulièrement pendant une journée de randonnée pédestre permettent de renouveler l'énergie et sont l'occasion d'échanges amicaux.

48

Amidon des céréales >	blé, pain, pâtes alimentaires, riz, orge, seigle, avoine, épeautre, millet, kamut, biscuits, farines, tapioca
Amidon des légumes >	maïs, pomme de terre, topinambour
Amidon des légumineuses >	lentilles, haricots secs
Fibres >	fruits frais et déshydratés, grains entiers, graines de tournesol, de sésame et de citrouille, légumineuses, légumes et amandes

Les fibres alimentaires, classées dans la famille des sucres complexes, regroupent une grande variété de substances provenant essentiellement de l'enveloppe des végétaux. L'humain ne possède pas les enzymes nécessaires pour digérer leur structure tellement complexe. Toutefois, les fibres alimentaires interviennent de façon importante dans la régulation des fonctions digestives. N'étant pas absorbées au niveau de l'intestin, les fibres ne participent pas à l'apport énergétique fourni par les aliments. La consommation quotidienne de 30 g de fibres alimentaires provenant de sources variées favorise la santé. De plus, elles comblent à satiété et contrôlent ainsi les fringales et le grignotage, ce qui produit un effet positif sur l'équilibre de la glycémie chez les hypoglycémiques et les diabétiques en retardant l'absorption du glucose dans le sang. De plus, les fibres représentent le meilleur laxatif.

Quelques sources de fibres dans un menu pour activités de plein air

Aliment	Portion	Fibres (g)
haricots rouges cuits	1/2 tasse	9,3
riz brun cuit	1 tasse	9,1
figues sèches	3	7,2
pruneaux secs	3	4,7
bleuets frais	1 tasse	4,0
raisins secs	1/3 tasse	4,0
poire séchée	2 demies	4,0
pomme fraîche	1	4,0
pomme déshydratée	1	4,0
hoummos	1/4 tasse	4,0
muesli	1/2 tasse	4,0
muffin au son	1	4,0
carré aux dattes	1 petit	4,0
banane sèche	1 moyenne	3,8
riz blanc cuit	1 tasse	3,0
pois verts lyophilisés	1/2 tasse secs	3,0
noisettes	1/4 tasse	3,0
pain complet	1 tranche	2,0
tangerine fraîche	1	2,0
banique blé entier	1 tranche	2,4
flocons d'avoine	3/4 tasse	1,6
amandes	24	1,5
abricots secs	3	1,4

Glycémie

La glycémie représente la concentration de sucre (glucose) dans le sang. Selon qu'elle diminue ou qu'elle augmente, elle est responsable du déclenchement de la faim ou de la satiété. La glycémie se trouve au plus bas avant le début du repas, particulièrement le matin à cause du jeûne de la nuit, et remonte à la fin du repas. Les aliments contenant du glucose (jus de fruits, miel) et du saccharose (sucre de table, confitures, sirops…) influencent rapidement la glycémie, tandis que l'amidon (pâtes, riz, céréales, légumineuses) le fait plutôt graduellement. Quand la glycémie est trop élevée, l'excès de sucre est emmagasiné dans le foie et les muscles sous forme de glycogène, et le surplus sera mis en réserve sous forme de graisse. Cette dernière pourra être retransformée en énergie et utilisée par la suite à un moment où la consommation alimentaire s'avère plus faible que les besoins, comme c'est le cas pendant un régime amaigrissant, un jeûne, une randonnée se déroulant sur plusieurs jours ou encore une exposition prolongée au froid.

Hypoglycémie

Un taux de glucose sanguin inférieur à la normale provoque un état de dépression d'énergie dû à une mauvaise tolérance d'ordre pathologique au glucose. Chez les gens normaux, l'hypoglycémie peut survenir au cours d'un effort physique prolongé. Elle se produit lentement parce que le foie met moins de glucose en circulation que les muscles n'en consomment. Les mêmes conséquences se présentent dans les deux cas : la sensation de fatigue se fait sentir peu à peu, ainsi que la soif et un besoin instantané de sucre. Après quatre ou cinq heures de randonnée pédestre ou de ski de randonnée sans manger ni boire de liquides légèrement sucrés, l'état hypoglycémique ralentit considérablement le rythme de marche, car les muscles en activité requièrent continuellement l'apport de glucose par le sang.

Pour éviter l'hypoglycémie au cours d'activités de plein air, un apport de glucides s'impose à chaque heure afin de maintenir le taux de glucose dans le sang. La nature et la quantité des aliments importent : multiplier les repas pendant une activité de plein air de plus de trois heures (huit petits repas valent mieux que trois gros), prendre régulièrement des collations et être attentif aux signes de diminution d'énergie. Réduire la ration de glucides simples et composés, notamment le saccharose (chocolat, boisson aux fruits, barres granola), et privilégier les sucres complexes (pain et céréales

51

Sous des températures plutôt printanières, prenez le temps de vous préparer, par exemple, une soupe de riz et de lentilles rouges, privilégiant ainsi les sucres complexes et évitant l'hypoglycémie.

complètes, salade de riz, de lentilles ou de pâtes, hoummos); introduire une part de protéines (hoummos, lentilles, noix, graines, fromage, viande) ainsi que des fibres alimentaires à chaque arrêt ou collation. L'ingestion de sucres rapidement disponibles provoque une hausse rapide du glucose sanguin. Les fibres, par contre, absorbées en même temps, ralentissent le processus. C'est la raison pour laquelle il faut inscrire pain complet, jerky, noix, pâté végétal, hoummos, fromage, salade de lentilles, salade de riz ou de pâtes, muffin au son, pain aux noix et aux bananes… dans la composition des vivres de course.

Enlever	Réduire	Privilégier
friandises	barres granola	pain complet
confiture	fruits séchés	viande
chocolat	bâtonnets de sésame	céréales complètes
miel	bâtonnets de soya	fromage
café	lait de soya	noix

Pour éviter le problème d'hypoglycémie à la fin d'une longue journée d'activité, il est important de connaître les aliments les moins hypoglycémiants et d'en prévoir dans le sac à dos.

Aliments hypoglycémiants exprimés en pourcentage par rapport au glucose, qui est hypoglycémiant à 100 %. C'est la traduction directe des différentes vitesses d'absorption du glucose (ces valeurs sont des moyennes).

Référence : Brabd-Miller, Janette. «L'index glycémique des aliments», *Cah. Nutr. Diét.*, 32, 1, 1997, p. 42-46.

Aliments	%	
carottes	92	Très hypoglycémiant
pomme de terre en purée	80	
flocons de maïs	80	
pain brun	72	
blé filamenté	67	
riz	66	
banane	62	Faible
pois verts	51	
flocons d'avoine	49	
spaghetti	42	
orange	40	
pomme non pelée	39	
yogourt nature	36	
pois chiches (hoummos)	36	
lait	34	
haricots rouges	29	
fève de soya (tofu)	15	Peu hypoglycémiant

Lipides

Ce mot vient du grec «lipos» qui veut dire gras. La majeure partie des lipides alimentaires sont essentiellement constitués de triglycérides, c'est-à-dire de trois chaînes d'acides gras attachées à une molécule de glycérol. Il existe d'autres constituants lipidiques quantitativement très mineurs, dont le cholestérol. L'importance des triglycérides dans l'alimentation tient à leur capacité de fournir les acides gras indispensables au maintien de la santé, de transporter et de favoriser l'absorption des vitamines A, D, E, et K. Ils servent aussi à produire de l'énergie et l'excédent est emmagasiné sous forme de tissus adipeux, servant d'isolant thermique.

53

Il s'agit de la forme d'énergie la plus concentrée : les lipides fournissent 9 kcal par gramme. D'ailleurs, plusieurs auteurs accordent aux lipides un intérêt de protection contre le froid. La valeur thermogène des lipides provient d'abord de leur pouvoir calorique élevé ainsi que de leur libération progressive de chaleur. De plus, les gras utilisés en cuisine comme facteur d'assaisonnement améliorent la saveur et la texture des aliments. Un repas à haute teneur en gras prolonge le processus de digestion et crée une sensation de satiété. Le recouvrement de la surface des dents par une substance huileuse nuirait à l'adhésion des débris d'aliments, d'où l'effet anticariogène des lipides. La consommation de noix, de fromage ou de pâté végétal (il contient de l'huile végétale) peut contrebalancer l'effet cariogène du saccharose à teneur souvent trop élevée dans les vivres de course.

Trois sortes d'acides gras, présentés sous forme de chaînes plus ou moins longues et classées suivant leur degré de saturation, se combinent pour composer les aliments.

> ACIDES GRAS SATURÉS : solides à la température de la pièce, la plupart proviennent de source animale comme le lard ou le saindoux, la viande et les produits laitiers. L'huile de palme et l'huile de noix de coco se situent aussi dans cette catégorie bien que d'origine végétale. Ils augmentent les triglycérides sanguins et le mauvais cholestérol.

> ACIDES GRAS MONOINSATURÉS : fluides à la température de la pièce, ils figent lorsqu'ils sont placés au réfrigérateur. Ces acides gras protègent le bon cholestérol, peuvent le faire augmenter et diminuent le mauvais. Ils se trouvent surtout dans les huiles végétales et les noix. Une fois surchauffés, leurs propriétés nutritionnelles s'altèrent et leur digestibilité diminue. Les meilleures sources sont les huiles d'olive, de canola et de noisettes ainsi que les amandes, les pistaches, l'avocat et le saumon. La forme de gras qu'on trouve dans les poissons, particulièrement le saumon et le hareng, est appelée oméga-3 et favorise une baisse des triglycérides, ce qui explique que les maladies cardio-vasculaires présentent une faible incidence chez les Inuits du Grand Nord.

> ACIDES GRAS POLYINSATURÉS : ils sont fluides à la température de la pièce ainsi qu'au réfrigérateur. L'ensemble des acides gras polyinsaturés apparaissent comme essentiels à cause de leurs effets biologiques variés et importants. Ils possèdent la propriété d'abaisser le cholestérol sanguin, le mauvais mais aussi le bon. Ils fournissent l'acide linoléique et l'acide alpha-linolénique indispensables à l'organisme humain qui ne peut les synthétiser. Ils jouent des fonctions essentielles à l'équilibre du corps. Les huiles vierges de première pression à froid comme les huiles de carthame, maïs, tournesol, sésame, lin, noix, soya, arachide, olive et canola, les fèves de soya et les céréales muesli en contiennent en

54

abondance. L'hydrogénation, cette transformation industrielle qui consiste à les saturer, c'est-à-dire à les durcir comme dans la margarine, détruit leurs excellentes propriétés nutritionnelles. Le dépassement du point de fusion lors de la cuisson (l'huile fume) entraîne les mêmes conséquences.

Les lipides se trouvent en quantité variable dans de très nombreux aliments d'origine végétale ou animale, entre autres :

		1 c. à Table, soit 15 ml, fournit
gras visibles :	huile 99,9 %	14 g de gras
	gras animal comme le saindoux 94 %	12 g de gras
	beurre et margarine 85 %	12 g de gras
	crème 10 à 35 %	5,6 g de gras
gras invisibles :	1 croissant	13 g de gras
	1 jaune d'œuf	5 g de gras
	fromages emmenthal 29 %	1 portion = 45 g = 13 g de gras
	camembert 22 %	1 portion = 45 g = 16 g de gras
	1 œuf en poudre lyophilisé	18 g fournit 4 g de gras
	bœuf extra maigre haché frais	1 portion de 100 g fournit 10 g de gras
	bœuf extra maigre haché déshydraté	1 portion de 25 g fournit 10 g de gras
	poulet déshydraté	1 portion de 25 g fournit 4 g de gras
	lait en poudre entier (1 tasse liquide)	1/3 tasse de poudre fournit 9 g de gras
	graines de citrouille	3,5 g de gras
	de tournesol	4,8 g de gras
	de sésame	5,5 g de gras
	beurre d'arachide	8 g de gras

Le besoin quotidien en gras représente 25 % des calories totales, soit environ 100 g de gras pour une dépense énergétique de 3000 kcal. Sachant que chaque gramme de gras fournit 9 kcal : 25 % X 3000 kcal = 750 kcal ÷ 9 kcal /g = 83 g de gras. (Voir l'annexe I sur la répartition calorique). 55

Les richesses naturelles remarquables du Québec nous invitent à la pratique fréquente d'activités de plein air favorisant l'amélioration de notre santé. Le castor, à la fois ingénieur, architecte et bûcheron, est le seul animal capable de modifier l'environnement aussi profondément.

Cholestérol

Élément nutritif indispensable à l'organisme, le cholestérol entre dans la constitution de la plupart des membranes cellulaires, de la vitamine D et de certaines hormones. Il joue un rôle dans la lubrification de la peau. Le cholestérol possède une structure complexe. Il existe normalement dans l'organisme où il est fabriqué par le foie et provient seulement des aliments d'origine animale tels que : jaune d'œuf, abats, viande, beurre, produits laitiers non écrémés, fruits de mer. Même en situation de consommation restreinte, il continue à se former, au besoin, dans l'organisme. Il voyage dans le sang sous deux formes : le bon cholestérol, responsable de l'élimination de l'excédent présent dans la circulation sanguine et dans les cellules, est excrété avec la bile par voie fécale et une teneur élevée en fibres le retient dans l'intestin pour élimination; par contre le mauvais cholestérol est libéré par le foie puis transporté vers les cellules, et le surplus colle aux parois des artères. Une alimentation saine et la pratique régulière d'activités de plein air peuvent favoriser la diminution du mauvais cholestérol.

Vitamines

Chaque vitamine, de par sa constitution propre et son activité spécifique, contribue au maintien de la vie. Actives en très petites quantités, elles participent aux réactions de fabrication d'énergie mais n'en fournissent pas. L'organisme ne les synthétise pas. Elles doivent provenir d'une alimentation variée. Leur classement se base sur leur solubilité.

Les vitamines hydrosolubles, c'est-à-dire solubles dans l'eau, regroupent les vitamines du complexe B et la vitamine C. Affectées par l'air, la lumière, le trempage, la cuisson prolongée et la déshydratation, elles se conservent en grande partie par la congélation et la lyophilisation. La réfrigération aide à la préservation de la vitamine C. Toute quantité excédant les besoins étant rapidement excrétée par les reins, les grands consommateurs en perdent le surplus dans l'urine. Les vitamines

56

du complexe B, utiles entre autres pour la fabrication d'énergie, se retrouvent en abondance dans de nombreux aliments composant les menus de plein air comme les produits céréaliers complets, les noix, les pistaches, le germe de blé, les œufs ainsi que la viande (abats) et les légumineuses. La vitamine C participe à un grand nombre de réactions biologiques et agit aussi comme antioxydant. Elle facilite et améliore l'absorption du fer. Plusieurs situations exigent une augmentation des besoins en vitamine C : le stress, les infections, le froid ainsi que le fait de fumer. Le scorbut, dont ont souffert plusieurs explorateurs, résultait d'une déficience en cette vitamine. Les fruits et les légumes frais, principales sources de vitamine C, se transportent difficilement en expédition. Donc pour compléter une ration alimentaire d'expédition, constituée principalement d'aliments précuits et déshydratés, il faut y ajouter des suppléments alimentaires, qui combleront les besoins en vitamines hydrosolubles.

Les vitamines liposolubles, A, D, E et K, solubles dans les lipides, résistent bien à la cuisson, au trempage, à la déshydratation et à la lyophilisation. La vitamine A incluant le bêta-carotène (précurseur de la vitamine A) joue un très grand rôle dans la santé de la peau et de toutes les membrancs des muqueuses protégeant les cellules de l'invasion des micro-organismes. Cette vitamine, mise en réserve dans le foie, en fait une source très riche et les huiles de foie de poisson (morue) en contiennent des teneurs particulièrement élevées. Le Norvégien Erling Kagge, pendant son expédition en solo au pôle Sud, buvait de l'huile de foie de morue quotidiennement; il disait que c'était «comme reconstituant général». Vendue en très grande quantité en Norvège, l'huile de foie de morue satisfait les besoins en vitamine A et D des autochtones qui vivent à une

Au Spitzberg, au sommet du très impressionnant glacier Fantastiquebreen, la mauvaise luminosité et une brise légère annoncent une autre tempête de neige. Dans des conditions aussi extrêmes, des suppléments alimentaires comblent les besoins nutritionnels d'une alimentation composée en grande partie d'aliments déshydratés et lyophilisés.

latitude nordique où le taux d'ensoleillement annuel est relativement faible. L'organisme peut synthétiser la vitamine D à partir d'une forme de cholestérol (stérol présent dans la peau) sous l'action des rayons ultraviolets de la lumière solaire. Toute personne suffisamment exposée à l'ensoleillement

57

accumule des réserves. À défaut de boire l'huile de foie de morue en tant que principale source, incorporer dans le menu 56 g (175 ml ou 3/4 de tasse) de lait en poudre instantané afin de satisfaire les recommandations journalières pour l'adulte. La vitamine E, la plus répandue des vitamines, protège les cellules en limitant les réactions des radicaux libres[5]. Les besoins en vitamine E peuvent être satisfaits en camping avec 20 g (60 ml ou 1/4 de tasse) de germe de blé, la meilleure source alimentaire. Avant de partir, le faire dorer au four. Il se conservera mieux ainsi. Le germe de blé rehausse la valeur nutritive une fois ajouté aux muffins, galettes ou biscuits, ou encore saupoudré sur les céréales ou sur différents plats de résistance, juste avant de servir. La vitamine K, synthétisée dans les intestins, se trouve aussi dans une large variété d'aliments.

Minéraux

Les minéraux agissent sur plusieurs plans dans l'organisme et notamment dans la contraction musculaire, la transmission de l'influx nerveux et la distribution des liquides. Abondamment répandus dans une alimentation variée, ils satisfont facilement aux recommandations pour l'homme. Leur taux s'exprime le plus souvent en microgrammes ou milligrammes. En général, les besoins varient peu en fonction de l'activité physique et du froid. Par contre, l'importance du travail physique peut provoquer l'augmentation de la transpiration qui entraîne des pertes de minéraux. La sueur contient un certain nombre de sels, appelés électrolytes, à diverses concentrations, notamment le chlorure de sodium (NaCl) ou sel de table, le potassium (K), le magnésium (Mg), le zinc (Zn), des traces de fer (Fe) et des protéines sous forme d'un composé résiduel nommé urée qui donne son odeur forte à la transpiration. La concentration en minéraux de la transpiration varie d'un individu à l'autre. Une sudation très importante provoque une perte considérable de minéraux. Comme l'organisme ne dispose pas d'une grande réserve de ces minéraux, l'ensemble des fonctions physiologiques dépend étroitement d'un apport minéral régulier et suffisant. Seul le trempage et la cuisson dans l'eau affectent la teneur en minéraux des aliments, presque totalement épargnée par la déshydratation et la lyophilisation. Un menu varié satisfait quotidiennement les besoins.

5. Molécules extrêmement réactives, produites naturellement ou lors de certaines agressions comme celle des rayons ultraviolets... Ces radicaux sont responsables, en partie, du vieillissement de l'organisme.

Suppléments alimentaires

Les suppléments alimentaires s'imposent dans toute situation où un individu ne profite pas d'une alimentation normalement équilibrée satisfaisant aux recommandations journalières. Aussi, avec une alimentation constituée principalement d'aliments précuits et déshydratés, il convient de prêter une attention particulière à l'aspect de supplémentation. De façon générale, pour tous les consommateurs de ce type d'aliments transformés, même sur une courte période, les professionnels de la nutrition s'entendent pour recommander un supplément alimentaire en vitamines du complexe B et en vitamine C afin de compenser la perte partielle de ces nutriments dans les aliments précuits, déshydratés et lyophilisés. La levure alimentaire peut combler largement les besoins en vitamines du complexe B; il suffit d'en ajouter 15 ml/jour dans les céréales au déjeuner. De nombreuses études recommandent un supplément de 100 à 200 mg de vitamine C à action progressive pour combler les besoins engendrés par le stress et l'activité physique dans des conditions environnementales inhabituelles, par exemple au cours d'une randonnée pédestre en montagne s'étalant sur quelques jours consécutifs à huit heures par jour.

Eau

Le besoin permanent d'eau, nutriment indispensable, dépend strictement de la quantité que perd l'organisme. Celle-ci varie en fonction de l'activité physique, de la température ambiante et de la composition du régime alimentaire. Dans des conditions normales, les besoins en liquide correspondent à un litre pour 1000 calories dépensées, ce qui équivaut à

Il fallait pour aller là, la patience et l'aviron, connaissance de la chute, du portage et du courant. Gilles Vigneault. En été, les pertes de liquide sont nettement plus importantes qu'en hiver; l'ingestion de liquide doit compenser adéquatement ces pertes.

environ 3 litres quotidiennement quand la ration adéquate apporte 3000 kcal. La moitié de ce besoin en eau doit être couverte par les diverses boissons ingérées et l'autre moitié fournie en partie par l'eau contenue dans les aliments et en partie par celle qui est produite par le travail cellulaire.

59

L'activité physique soutenue entraîne d'importantes pertes hydriques à cause de la sudation abondante. L'absorbtion fréquente de liquide en petites quantités suffit alors pour étancher la soif.

La grande quantité d'eau perdue par la sudation et un apport liquidien insuffisant risquent d'entraîner une déshydratation sévère, une diminution du volume sanguin, des troubles circulatoires et un dérèglement du mécanisme de thermorégulation, ce qui provoque une baisse de rendement. En été les pertes de liquide s'accroissent chez l'individu par rapport à l'hiver et la consommation de liquide tout au long de l'activité de plein air doit compenser adéquatement ces pertes.

Au cours de la pratique d'activités physiques, les pertes normales de 3 à 6 litres d'eau se répartissent comme suit :

> 1 à 2 l d'urine
> 100 à 200 ml dans les matières fécales
> 1 à 2 l pour la respiration selon l'humidité
> 1 à 2 l/ h par la transpiration suivant l'activité

Les apports en eau :

> 2 l d'eau ingérée
> 1 l d'eau provenant des aliments
> 300 ml d'eau produite par la dégradation des aliments

Petit secret

Le thé étanche la soif grâce à ses tanins astringents. Choisir un thé savoureux : le thé mu, apprécié pour son arôme de mélange de plantes, le thé parfumé aux épices, à la bergamote ou aux fleurs se boit chaud ou froid. En été, préparer du thé glacé à base de thé vert. Non fermenté, contrairement au thé noir, ses tanins sont donc plus astringents et sa saveur plus délicate. Disponible en sachets individuels, dans les épiceries d'aliments naturels ou les boutiques spécialisées en produits alimentaires orientaux. Ajouter des tranches de citron frais ou de lime et du sucre au goût, ou tout simplement utiliser le thé vert à saveur de citronnelle.

Normalement, les apports compensent les pertes et maintiennent l'équilibre hydrique. Les boissons doivent réhydrater le plus vite possible en permettant un vidage gastrique instantané et en favorisant ainsi l'absorption rapidement. Un breuvage trop sucré demeure dans l'estomac, donc ne réhydrate pas instantanément. L'eau et les liquides légèrement sucrés, contenant des minéraux, étanchent particulièrement la soif pendant l'activité de plein air. Cependant, la nourriture composant les vivres de course et les plats déshydratés et lyophilisés contiennent très peu ou pas d'eau. En hiver, l'économie de carburant et le temps nécessaire pour faire fondre la neige limitent la quantité d'eau. Toutes ces raisons ne doivent pas empêcher de combler les besoins hydriques pour maintenir la santé, la performance et la température corporelle au froid. Il est possible d'améliorer l'apport en liquide en se préparant des boissons savoureuses qui donneront le goût de boire régulièrement au cours de l'activité de plein air.

3 Beau et chaud, haut et froid

PARTICULARITÉS ALIMENTAIRES LIÉES AU FROID, À LA CHALEUR ET À L'ALTITUDE

Le froid ou la chaleur intenses ainsi que la haute altitude menacent principalement les amateurs de plein air. Ces trois facteurs déterminent considérablement la composition des menus, la nature des boissons et la façon de s'alimenter.

Acclimatation au froid

Le corps possède un mécanisme de contrôle qui permet à l'homme de s'adapter remarquablement à l'un de ses pires ennemis en plein air : le froid. Dans une situation normale, le corps humain peut garder sa température corporelle entre 36,1 °C et 37,8 °C et ce, malgré les fluctuations de la température ambiante et la quantité de chaleur produite par l'organisme. Ce mécanisme d'adaptation, appelé thermorégulation, maintient l'équilibre entre la perte et la production de chaleur.

Quand la peau se trouve exposée au froid, les vaisseaux sanguins proches de la surface se contractent et l'apport de sang chaud diminue dans cette région, ce qui minimise la perte de chaleur. La température de cette partie de la peau en vient à s'abaisser graduellement, mais la température interne du corps demeure inchangée. Le cœur reste au chaud même avec les mains et les pieds froids. Il y a augmentation de la circulation sanguine vers le cerveau et les organes vitaux. La pression des liquides augmente donc dans les reins, ce qui favorise un débit urinaire plus fréquent au froid. Aussi, les yeux pleurent au moment où les vaisseaux se contractent à la périphérie de la peau. La restriction de l'afflux sanguin aux extrémités (les doigts, les orteils et le bout du nez), pendant une courte durée, ne représente pas un problème majeur. Par contre, si l'exposition au froid se prolonge, et qu'on ne fait pas d'activité musculaire pour se garder bien au chaud, les cellules de la peau privées d'oxygène et de nutriments commencent à mourir, entraînant des gelures.

Il a été démontré chez les pêcheurs de Gaspé que, à la suite d'une exposition prolongée ou répétée des mains nues au froid, ces hommes devenaient capables de travailler dans l'eau glacée sans douleur et sans apparition de gelures. Il s'agit d'un phénomène d'adaptation locale des extrémités. Les mains ainsi adaptées demeurent plus chaudes en présence du froid, moins sujettes aux gelures, plus vascularisées, plus efficaces, plus habiles et plus sensibles que les mains non adaptées. Souvent,

< Après une nuit de tempête pendant laquelle l'intensité du vent nous a tenus réveillés, le givre accumulé à l'intérieur de la tente-cuisine vient me rappeler où je suis... C'est l'Arctique ! Vivre au froid influence la composition du menu, la nature des boissons et la façon de s'alimenter.

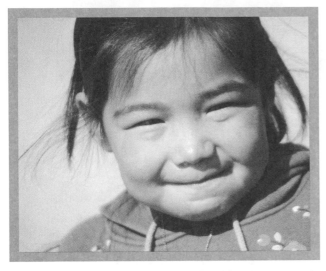

Le 8 avril, à −10 °C, les enfants inuits fêtent le printemps après un long hiver à −60 °C sous des vents intenses.

à la fin des raids en skis, on voit les aventuriers skier et travailler au campement les mains nues à −15 °C, une température qui semblait plutôt froide au début. J'ai remarqué, sur l'île de Broughton, en Terre de Baffin, des enfants inuits jouant dehors en t-shirt à −10 °C.

Malheureusement, l'adaptation au froid est une modification longue et pénible à développer, et même quand elle est acquise au début de l'hiver, elle se perd complètement au cours des mois d'été. On peut aussi arriver, par un séjour prolongé au froid, à une acclimatation générale par une baisse de la température corporelle normale. Après son expédition de 65 jours au pôle Nord en 1986, Jean-Louis Étienne avait une température corporelle de 35,5 °C, preuve qu'en allant vivre dans des conditions hivernales extravagantes, l'organisme baisse son thermostat. En attendant d'être acclimaté, l'activité musculaire demeure le moyen le plus efficace pour augmenter la température corporelle, en produisant de la chaleur supplémentaire.

Frisson

Sorte d'activité musculaire involontaire (contraction des muscles squelettiques), le frisson permet à l'humain de résister momentanément au froid intense, en augmentant temporairement la chaleur du corps. Les muscles qui frissonnent dépensent des glucides, d'où l'importance de boire un liquide chaud et sucré pour fournir de la chaleur très rapidement afin de répondre instantanément aux besoins caloriques et d'atténuer le frisson.

Hypothermie

Il est plus fréquent de souffrir d'hypothermie à la fin d'une journée d'activité de plein air en automne ou au début de l'hiver, quand l'organisme n'est pas encore adapté aux températures froides. Les randonneurs ont alors tendance à trop se couvrir, ce qui entraîne une transpiration excessive. Une fois trempés, le danger de gel augmente. Les vêtements mouillés collent à la peau et l'évaporation de l'humidité absorbe la chaleur du corps plus vite encore que ne le fait l'air. De plus la personne peut être fatiguée, épuisée, en manque d'énergie, ou n'a pas assez bu et mangé. Tous ces facteurs peuvent mener à l'hypothermie. La personne ne réussit pas à se réchauffer.

Dans le cas d'une hypothermie légère, des boissons chaudes suffisent pour réchauffer. En hypothermie avancée, la personne ne ressent plus le froid, peut délirer, et si l'hypothermie s'aggrave, elle peut devenir inconsciente. On utilise alors des sources extérieures de chaleur (feu, massage, corps à corps...). L'alcool, proscrit en toute circonstance au froid, provoque une vasodilatation qui augmente les pertes thermiques. Les personnes atteintes de la maladie de Raynaud, pathologie liée au froid, souffrent plus facilement d'hypothermie parce qu'elles sont hypersensibles au froid.

Alimentation et tolérance au froid

À part la tenue vestimentaire et la capacité biologique de s'acclimater au froid, l'alimentation demeure le facteur qui influence le plus directement la tolérance. Il a été démontré scientifiquement, autant chez l'humain que chez l'animal, que dans certaines conditions les différences dans la composition de la diète peuvent avoir pour résultats des changements physiologiques significatifs susceptibles d'améliorer la résistance au froid et ainsi de minimiser beaucoup les risques d'hypothermie.

Meilleures sources d'énergie

Les gras, en particulier, jouent un rôle essentiel pour lutter contre les refroidissements. Consommés sous forme de noix, pâte d'amandes, fromage et huile végétale, ils constituent des aliments énergétiques utiles à l'organisme fournissant un effort physique de faible intensité pendant plusieurs heures. En expédition, parce que la vitesse de progression se trouve réduite par le poids du traîneau ou du sac à dos, les lipides (graisses) se révèlent plus efficaces que les glucides (sucres) pour fournir de l'énergie aux muscles. Il existe des évidences scientifiques que la digestion des lipides s'accélère durant l'exercice au froid et, de plus, que cette source de calories produit beaucoup de chaleur à long terme. Au froid, certaines tâches requérant vitesse et agilité sont, par contre, facilitées par la consommation de glucides. Il s'agit d'aliments dont le passage dans le sang demande de quelques minutes à une heure et qui réduisent

67

Petit secret

Il existe des aliments spécifiques, appelés aliments calorigènes, qui créent presque instantanément une sensation de chaleur au corps pendant l'exposition au froid : boisson chaude, gingembre confit incorporé dans les vivres de course et certaines épices. Ainsi, dans ma trousse de premiers soins d'automne et d'hiver, j'inclus toujours cinq grammes de poivre de Cayenne que je conserve dans une mini bouteille de plastique fermée hermétiquement. Pour se réchauffer efficacement, boire la dilution suivante : une pincée de poivre de Cayenne dans 250 ml d'eau chaude. Et, hop ! dans le sac de couchage... dodo au chaud !

Dans l'Arctique, malgré le soleil qui brille en permanence, la neige ne fond jamais et les nuits demeurent froides. Avant d'aller dormir, une dilution de poivre de Cayenne dans de l'eau chaude réchauffe instantanément.

ainsi le travail des organes digestifs, très mal irrigués pendant des efforts physiques plus intenses. Barres de céréales, pain d'épices, muffins, gâteaux et fruits secs produisent donc de l'énergie rapidement.

Pour n'importe quelle randonnée où chaque gramme compte, les lipides, parce qu'ils sont concentrés en énergie et ont un faible poids (9 kcal/g), justifient la recommandation de consommer des aliments riches en graisses. Toutefois, une grande consommation de gras n'est nullement nécessaire pour des sorties d'une journée ou d'une fin de semaine, surtout si on passe la nuit dans un refuge chauffé.

Digérer pour se réchauffer

L'activité de la digestion procure de la chaleur, tout comme l'activité musculaire, mais à un moindre degré. La chaleur produite pendant la digestion des protéines est six fois plus importante que celle des lipides et deux fois plus que celle des glucides. Les protéines provoquent donc, en grande partie, l'augmentation de la production de chaleur après l'ingestion. La source et la quantité de calories peuvent ainsi entraîner une légère différence dans la tolérance au froid, durant les heures qui suivent le repas. Par exemple, les repas contenant de la viande, du poisson et des légumineuses réchauffent plus intensivement qu'un repas de pâtes aux tomates ou un riz aux légumes.

Manger à sa faim

Les besoins caloriques croissent sous les températures froides à cause de l'augmentation des mécanismes de réchauffement et d'acclimatation. Manger à sa faim demeure le principal moyen pour que l'énergie soit continuellement disponible. Les recherches confirment qu'une fois l'apport calorique satisfait, le fonctionnement des mécanismes d'adaptation au froid s'accélère. Pour maintenir la chaleur corporelle, il faut parfois jusqu'à 6000 kcal par jour, par exemple pour une personne se déplaçant à −30 °C en skis de randonnée, avec charge, alors que la même personne, dans une randonnée en montagne, sous un climat tempéré, portant un sac à dos, dépenserait moins de 4500 kcal.

Les stimuli de la faim en excursion	Les inhibiteurs de la faim en excursion
1. le froid	1. la fatigue
2. l'insécurité	2. l'absence de variété dans le menu
3. l'activité physique continuelle	
4. l'aspect social (être en groupe)	

Une fois que le corps s'est adapté, la dépense énergétique, nécessaire pour combattre le froid, diminue. Cela explique la stabilisation de l'appétit après une dizaine de jours de randonnée. Toutefois, vivre deux ou trois jours seulement à des températures très basses, sans que l'organisme ait eu le temps de s'adapter, augmente l'appétit.

Meilleures sources de gras en expédition

En randonnée hivernale, le pourcentage de gras augmente jusqu'à constituer 40 % de la consommation totale et même près de 65 % durant certaines expéditions. Les skieurs mangent carrément des bâtonnets de beurre ou en ajoutent dans leur potage chaud. Pourtant, ce type de gras ne répond pas à toutes les exigences d'une expédition au froid parce qu'il devient dur comme du roc à −40 °C. À ces températures, on a même vu certains explorateurs se casser une dent en croquant dans un bâtonnet de beurre ! De plus, la quantité de cholestérol dans 100 g de beurre équivaut à 220 mg, soit la quantité présente dans un gros jaune d'œuf. Il s'agit donc

Petit secret

Transporter des portions d'huile dans des sacs de plastique ! Mesurer des quantités de 30 ml (2 c. à soupe). Verser dans un petit sac de plastique solide et le sceller. Un emballage opaque protégera de la lumière les qualités des huiles vierges pressées à froid. Déposer au congélateur jusqu'au jour du départ. Sur le terrain, afin d'augmenter la consommation de calories, ajouter une portion d'huile aux céréales ou au potage bien chaud. Choisir une excellente huile d'olive dont vous aimez le goût, celui-ci n'en sera que plus agréable au froid.

69

d'un choix discutable. Faute d'études sur l'effet d'une telle quantité de cholestérol dans une ration alimentaire à long terme que représentent quelques mois d'expédition au froid, mieux vaut s'abstenir et opter pour d'autres sources de gras plus appropriées.

Pour la santé des aventuriers qui réalisent des performances à des températures de glace, pendant plusieurs jours consécutifs, l'alimentation optimale apporte plus de calories avec un faible volume tout en offrant un goût agréable. En raison de leur pouvoir calorique élevé et de leur libération progressive de chaleur, les lipides demeurent les plus efficaces. Les gras d'origine végétale sont utilisés plus rapidement comme source d'énergie et plus recommandables pour la santé. Borge Ousland, le Norvégien qui a réussi deux fois le pôle Nord et deux fois le pôle Sud en quatre ans, utilise un mélange à parts égales d'huiles d'olive, de noix et de soya. Cette mixture, très agréable au goût, sans cholestérol, et tellement meilleure pour l'apport nutritionnel de bon gras, répond aux exigences énergétiques des longues randonnées en régions froides. Pour chaque tasse (250 ml) du mélange, 2000 kcal sont fournies ! Avec ces bonnes huiles, la saveur du potage et même des céréales chaudes se trouve améliorée. Comme le dit Borge Ousland : *On le boit carrément à la bouteille.* Une autre solution, moins coûteuse, consiste à utiliser un gras végétal réduit en poudre par un procédé industriel nommé «atomisation». Il faut dire cependant que la saveur désagréablement âcre de cette poudre blanchâtre domine toutes les autres, même camouflée dans un excellent couscous bien épicé. Gourmets s'abstenir !

En raquettes dans la forêt mixte des Laurentides boréales, on observe une faune abondante et diversifiée. La veille d'une sortie d'une journée au froid, un bon repas de pâtes permet d'emmagasiner des réserves d'énergie.

70

Aventure d'une journée

Pour une sortie d'une journée au froid, la première mesure à prendre consiste à faire des réserves d'énergie musculaire la veille en consommant des pâtes, du riz ou des pommes de terre. Le lendemain, ingérer un copieux petit-déjeuner hyperglucidique accompagné de protéines et d'un peu de lipides : céréales, pain complet, beurre d'amandes ou de noisettes, cretons maigres, œufs, fromage. Apporter des vivres de course en bonne quantité : gâteau d'épices, fromage, mélange de noix et graines… Prendre plusieurs petits repas pendant la journée plutôt que deux ou trois gros repas favorise la tolérance au froid. Au cours de la randonnée, grignoter régulièrement, au moins une fois par heure, afin de fournir continuellement de la chaleur au corps, et boire suffisamment pour faciliter la circulation sanguine.

Boire pour se réchauffer

Même si la transpiration diminue grandement au froid, il demeure nécessaire de boire beaucoup d'eau. En effet, une grande perte de vapeur d'eau survient, pendant la pratique d'activités physiques, par la ventilation respiratoire. Une déshydratation au froid provoquera une réduction de l'arrivée du sang aux doigts, la première partie du corps qui gèle. La zone du cerveau chargée de régler le thermostat biologique va activer le mécanisme de thermorégulation, en limitant la dissipation de chaleur vers la périphérie, par un rétrécissement des vaisseaux sanguins. L'absorption d'une boisson chaude déclenche une réponse compensatoire, qui favorise la dissipation de la chaleur, par l'ouverture maximale des vaisseaux à la surface de la peau. En plus de régulariser la chaleur et de maintenir la quantité d'eau nécessaire, si ces boissons contiennent du sucre, elles fournissent des calories. Il est prudent de ne pas manger de la neige en quantité excessive. En plus de contenir des micro-organismes, elle refroidit la bouche et les dents.

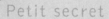

Petit secret

Sceller avec un fer à repasser : faire chauffer le fer à température moyenne. Placer une feuille de papier sous la partie à sceller du sac de plastique et une autre sur le dessus. Repasser la feuille de papier du dessus pendant deux secondes. Le sac est bien scellé. S'il est plutôt ratatiné, le fer était trop chaud.

Les Inuits vivant dans le Grand Nord développent une couche de graisse sous-cutanée, élément capital de leur tolérance générale au froid.

71

Alcool et froid : mélange dangereux

On s'imagine généralement que l'alcool favorise le réchauffement par grands froids et on connaît l'image carnavalesque du buveur de «caribou» (boisson alcoolisée faite à partir de vin rouge auquel on a ajouté du sucre et de l'alcool pur) sous le froid arctique de la mi-février. L'alcool, non seulement inutile dans la lutte contre le froid, joue en réalité un rôle tout à fait défavorable. Au lieu de protéger, il accentue le refroidissement de l'organisme. Une fois que la personne qui avait été exposée au froid a été placée dans un local tempéré, on peut toutefois hâter son impression de réchauffement en lui donnant un peu d'alcool. Mais en situation de camping hivernal, ou dans un refuge peu chauffé, la consommation d'alcool demeure complètement déconseillée.

Après l'exploit... place à la fête dans un refuge. Une bouteille de Château Lieujean Haut-Médoc pour six. Nous ne pouvons en abuser, car il reste une journée de ski à −20 °C pour redescendre à l'aéroport de Longyearbyen, au Spitzberg.

Boire de l'alcool à −30 °C donne l'illusion de se réchauffer. Ce produit dilate les vaisseaux sanguins et accélère la perte de chaleur. Cela entraîne une impression de réchauffement. Mais cette sensation n'est que passagère puisque la vasodilatation amène plus de sang chaud dans les parties exposées au froid, provoquant le refroidissement d'une plus grande quantité de sang et une augmentation de la perte de chaleur vers l'extérieur. Agissant sur le système nerveux, l'alcool inhibe le mécanisme de thermorégulation. Enfin, l'alcool inhibe aussi la douleur; la personne n'arrive pas à réagir contre le froid qui la menace.

En outre, en consommant de l'alcool, on s'expose davantage à des risques de déshydratation. L'hypophyse sécrète une hormone antidiurétique qui stimule les reins afin d'augmenter la réabsorption d'eau; l'alcool inhibe la production de cette hormone. Il agit donc comme diurétique en augmentant le débit urinaire. En d'autres mots, le rein, sous l'action de l'alcool, perd son pouvoir de contrôler la quantité d'eau qui doit rester dans l'organisme. Pour toutes ces raisons, l'ingestion d'alcool est proscrite en toute circonstance au froid.

Autres facteurs de tolérance au froid

D'autres facteurs interviennent pour déterminer le degré de tolérance au froid : la couche de graisse sous-cutanée, la taille, la condition physique et le sommeil. L'âge, le sexe et l'appartenance ethnique peuvent aussi influencer légèrement.

La couche de graisse sous-cutanée

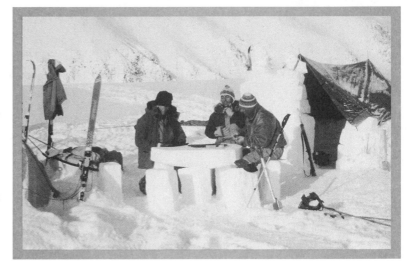

Au pays des ours polaires (il y en a environ 5000 sur l'île Spitzberg), nous faisons preuve d'une grande prudence en gardant le fusil à la portée de la main, surtout lorsque le campement se situe près d'un fjord. Pour des séjours de plusieurs semaines au froid, il est démontré que se constituer des réserves de graisse, avant de partir, favorise la protection contre le froid.

Les animaux dont la température interne demeure constante, comme les manchots et les ours, vivant dans les régions polaires, luttent contre le froid en se dotant d'une importante couche de graisse qui joue le rôle d'isolant.

Plus près de nous, des études sur des populations s'étant adaptées au froid, comme les Inuits vivant depuis des siècles dans le Grand Nord, ont inspiré les explorateurs et les aventuriers dans leur façon de s'alimenter pendant leur séjour dans les régions polaires. Les Inuits développent eux aussi une couche de tissus adipeux sous-cutanés, élément capital de leur tolérance générale au froid. Un tissu adipeux épais permet un meilleur maintien de la température interne, car la graisse s'avère quatre fois moins conductrice que le muscle. Voilà pourquoi les personnes sujettes à l'embonpoint et les obèses résistent mieux au froid.

Nécessité d'engraisser avant de partir en région froide?

Plusieurs exemples nous démontrent que cela peut être une mesure utile, surtout pour les expéditions qui durent plusieurs semaines en autonomie totale. La maigreur de tous les explorateurs de tous les temps au retour de leur expédition le démontre bien. L'amaigrissement, s'il est trop sévère, touche à la fois la réserve de graisse et la masse musculaire. Il est donc tout à fait logique de se constituer

73

un stock énergétique avant de partir, en accroissant les réserves de graisse, et de favoriser ainsi la protection contre le froid. Toutefois, l'augmentation trop importante des réserves de graisse avant une randonnée au froid de courte durée, une fin de semaine de camping d'hiver ou une journée d'escalade de glace, équivaut à un poids mort et peut constituer un handicap.

La taille

Une personne de grande taille présente une surface exposée plus grande qui entraîne une perte de chaleur plus importante. En position accroupie et recroquevillée, le corps conserve donc davantage sa chaleur qu'en position debout, les bras écartés. C'est pour les mêmes raisons que les enfants doivent se couvrir le plus possible lors d'une exposition au froid, afin de minimiser la surface exposée.

La condition physique

La personne jouissant d'une excellente condition physique peut réaliser des activités plus intenses et pendant des périodes plus longues. Dans ce cas, la production de chaleur par l'activité physique devient une source importante pour maintenir la température corporelle. Un coureur de ski de fond à −15 °C se contente de vêtements légers, qui ne conviendraient certainement pas s'il demeurait immobile au bord de la piste à regarder passer les autres compétiteurs. Même s'il se gavait de pâte d'amandes, de chocolat, de fromage ou de beurre d'arachide, il n'aurait pas moins froid.

Le sommeil

Le système thermorégulateur devient plus sensible chez ceux qui ont été privés de sommeil et l'activité de frisson se déclenche plus vite chez eux que chez les sujets reposés. Le manque de sommeil augmenterait donc la sensibilité au froid.

En résumé, pourvu qu'on se vête bien, que la quantité totale de nourriture soit augmentée, qu'on mange suffisamment et de façon étudiée et qu'on soit bien reposé, il est possible de s'adapter normalement au froid sans manger plus gras mais à la condition de bouger.

Acclimatation à la chaleur

Le corps humain en action supporte moins bien la canicule que les grands froids. En effet, il est plus difficile d'assurer la régulation de la température corporelle en pratiquant une activité de plein air par grande chaleur.

Au froid, l'activité musculaire fait augmenter la température du corps et la régulation thermique arrive rapidement à maintenir la température corporelle normale. Sous une température environnementale très élevée, le système de thermorégulation se montre moins efficace pour diminuer rapidement la température interne du corps à 37 °C. La sudation, moyen de refroidissement le plus puissant dont l'organisme dispose, atteint ses limites quand la température extérieure dépasse la température corporelle normale de 37 °C.

Si l'air est sec, la transpiration débarrasse efficacement le corps d'un excès de chaleur et la tolérance à une température ambiante aux alentours de 35 °C devient possible.

La production de chaleur engendrée par l'effort physique élève la température interne au-dessus de la normale. Le centre de la thermo-régulation dans l'hypothalamus, alors stimulé, déclenche la vasodilatation des vaisseaux sanguins jusqu'en périphérie et le sang chaud arrive à la surface de la peau. Normalement, le surplus de chaleur se dissipe par rayonnement, s'élimine dans l'air environnant et la transpiration commence. Si l'air est sec, la transpiration débarrasse efficacement le corps d'un excès de chaleur et la tolérance à une température ambiante aux alentours de 35 ou 40 °C devient possible. Par contre, l'air chaud et saturé d'humidité rend l'évaporation de la sueur difficile et la température corporelle augmente ainsi rapidement. Un taux d'humidité extérieur dépassant 60 % oblige à arrêter l'activité physique, à rechercher un coin d'ombre, à s'hydrater régulièrement et à porter des vêtements amples.

Coup de chaleur et hyperthermie

Le coup de chaleur survient chez la personne exposée à une chaleur qu'elle ne peut supporter ou à la suite d'un déficit hydrique résultant d'une sudation très abondante. Si la température interne du corps continue d'augmenter, il y aura hyperthermie. Dans ces conditions, il faut arrêter l'activité

75

physique. Le risque augmente chez les personnes non acclimatées ou souffrant d'embonpoint ou d'obésité et encore davantage chez les personnes âgées, dont l'efficacité des glandes sudoripares est moindre. Le seul traitement consiste à refroidir rapidement la personne en la déposant dans de l'eau froide et en lui donnant de l'eau fraîche, de préférence à 10 °C environ. L'eau trop froide pourrait causer des crampes plus ou moins douloureuses.

Alimentation et tolérance à la chaleur

L'appétit diminue proportionnellement à l'augmentation de la température. La digestion des aliments gras devient difficile. En randonnée pédestre, pendant la canicule de juillet, le menu le plus apprécié comprend plutôt des aliments à digestion facile comme les légumes, les fruits, le miel, le pain, le taboulé, différentes salades de riz ou de pâtes et les biscuits aux fruits. Éviter les noix, le fromage, les charcuteries ainsi que le chocolat. Par contre, les boissons prennent de l'importance.

Une baignade au lac Weber, après une longue journée de portage dans le parc national de la Mauricie, quoi de plus rafraîchissant?

Boire pour survivre

En pratiquant une activité de plein air dans un environnement très chaud, par exemple au cours d'une randonnée pédestre en montagne pendant la canicule de juillet, on observe que la transpiration peut atteindre 4,2 litres par heure. Une perte similaire est constatée en vélo de montagne. Après 3 heures, les pertes de 12 litres représentent la quantité totale d'eau contenue dans le sang. Si la réduction du volume sanguin progresse, la circulation sanguine n'arrive plus à maintenir efficacement la température normale du corps par la transpiration. Un déficit hydrique stimule la sécrétion de l'hormone antidiurétique (ADH), ce qui provoque la retenue d'eau par les reins, donc le volume d'urine diminue pendant les périodes de sudation abondante, sans remplacement des pertes par la consommation de liquide.

76

Toute modification dans la déshydratation des cellules détermine l'apparition de la soif. Si les pertes atteignent de 3 à 4 litres, l'endurance peut diminuer de 50 %. L'urine, au volume réduit, devient jaune foncé. Les premiers symptômes apparaissent, dont un léger mal de tête, puis une sensation de fatigue s'installe, suivie d'irritabilité, et la fréquence cardiaque accélère. Si la déshydratation persiste, une sensation d'épuisement survient et des problèmes de désorientation peuvent se produire.

Certaines activités de plein air déshydratent sournoisement. Une remarque particulière s'adresse aux cyclotouristes. L'évaporation d'eau ne dépend pas seulement de la température et de l'humidité de l'air ambiant mais aussi de la vitesse de circulation de l'air. En vélo, on ne sent pas toujours la chaleur qui nous accable, car l'air chaud devient rafraîchissant lorsqu'on pédale, même sous un soleil ardent, et assèche instantanément la sueur. On croirait ne pas transpirer et pourtant… C'est pourquoi il faut boire durant toute l'activité pour compenser la sudation profonde.

Boire de l'eau nature et fraîche est la meilleure façon de s'hydrater rapidement. Assurez-vous de faire le plein des gourdes quand vous rencontrez un cours d'eau. L'eau est plutôt ferreuse au sommet de Tablelands, littoral volcanique dans le parc national du Gros-Morne à Terre-Neuve. Photo : Micheline Fortin

Commencer sans attendre la sensation de soif, elle vient parfois tardivement par rapport au déficit hydrique des cellules. Le fait de multiplier les ingestions de liquide en maximise l'absorption. Si un lac se trouve à proximité, le détour vaut la peine. Une baignade devient un bon rafraîchissant.

En randonnée pédestre par temps très chaud, la déshydratation pose aussi un problème sérieux. Les randonneurs doivent boire 250 ml aux 15 minutes pour une efficacité maximale et le maintien du bien-être. L'eau fraîche, absorbée plus rapidement que l'eau trop chaude, convient particulièrement. Ne pas hésiter à faire des pauses plus souvent en se retirant à l'ombre.

Meilleures boissons réhydratantes

Boire de l'eau nature et laisser l'alimentation compenser les pertes minérales dues à la transpiration s'avère un bon choix en cas de transpiration peu abondante et pour une activité de courte durée. La quantité idéale d'eau à consommer pendant la durée de l'activité varie entre 10 et 12 ml par kilo de poids corporel par heure, soit un maximum de 800 ml à 1 l par heure. Cette quantité varie suivant les individus, les conditions atmosphériques et l'intensité de l'activité de plein air pratiquée.

Exemple :
Pour une femme de 60 kg, le calcul donne de 600 à 720 ml par heure d'activité en plein air.

L'eau ne peut compenser une sudation très abondante durant plusieurs heures consécutives, car la perte continuelle d'électrolytes doit être remplacée au fur et à mesure pour éviter le débalancement minéral de la cellule. Les boissons commerciales les plus désaltérantes fournissent des électrolytes et sont appréciées pour leur goût sucré. Toutefois, leur teneur en sodium parfois trop concentrée ou déséquilibrée par rapport au potassium empêche une réhydratation adéquate. Bien que recommandables pour satisfaire les besoins en énergie, leur contenu trop élevé en sodium produit un effet déshydratant. Pour absorber le sodium ou sel ingéré en trop, l'organisme puise dans ses réserves d'eau, crée un déficit hydrique et la soif se fait sentir de nouveau. Une boisson contenant de 6 à 10 % de sucre (soit de 1 à 2 c. à soupe par litre d'eau) se trouve absorbée aussi rapidement que de l'eau nature et a en plus l'effet bénéfique d'apporter de l'énergie pour améliorer la capacité physique. Les différentes boissons commerciales, souvent trop sucrées, désaltèrent à condition qu'on les dilue avec une ou deux parties d'eau. Même les jus de fruits contiennent trop de sucre pour désaltérer. La dilution du jus de pomme ou d'orange avec trois parties d'eau et celle du jus de raisin avec six parties favorise une absorption rapide et désaltère à souhait.

Exemple :
Pour obtenir un litre de boisson à base de jus de pomme, avec une concentration de 2,5 % de sucre, il suffit de mélanger 250 ml de jus et 750 ml d'eau.

900 ml d'eau de source
100 ml de jus d'orange fraîchement pressé
1 g de sel (une pincée) *
15 à 30 ml (1 à 2 c. à soupe) de sucre blanc

* Le sel naturellement contenu dans les aliments préparés devrait suffire à maintenir l'équilibre; l'ajout d'un gramme de sel de cuisine (NaCl), l'équivalent d'une pincée par litre d'eau, est nécessaire seulement en cas de sudation très abondante pendant plusieurs heures consécutives.

La soif et la déshydratation sont compensées par l'ingestion régulière, à toutes les 15 minutes, de quantités suffisantes de liquide, pour contrebalancer les pertes dues à la transpiration et à l'évaporation. Les boissons fraîches (de 6 °C à 10 °C) favorisent l'évacuation de la chaleur interne du corps. Le tube digestif, en ramenant le liquide à la température du corps, provoque un rafraîchissement. Les boissons doivent être fraîches mais non glacées pour une absorption plus rapide que celle d'une boisson chaude. L'ingestion d'une boisson chaude favorise, par contre, la dissipation de la chaleur, par l'ouverture maximale des vaisseaux à la surface de la peau. Cela explique pourquoi les Touaregs boivent le thé à la menthe brûlant à midi au cœur du désert. La menthe possède de plus des propriétés désaltérantes, liées au menthol, dont l'arôme exhale une sensation de fraîcheur. Voilà encore mieux que de siroter un soda glacé au bord de la plage ! Les liquides trop froids provoquent une contraction instantanée des tissus du tube digestif et une assimilation plus tardive du liquide. Au moins, réchauffez le liquide en le laissant dans votre bouche un instant avant de l'avaler.

Boissons déshydratantes : attention !

Les boissons caféinées et théinées augmentent les pertes de liquide par l'urine et par conséquent déshydratent, comme le font également les boissons alcoolisées. Si vous consommez de l'alcool, du café ou du thé fort, absorbez ensuite de bonnes quantités d'eau.

Il vaut la peine de planifier une période d'acclimatation aux environs de 4000 m afin de déclencher le processus d'adaptation physiologique à la haute altitude.

Acclimatation à l'altitude

Un séjour inhabituel en altitude peut poser certaines contraintes à l'organisme. Compte tenu d'une série de facteurs qui interviennent de manière complexe en altitude, le corps a besoin de plusieurs jours pour s'adapter. Il n'existe pas de recette miracle. Une période d'au moins trois semaines, à une altitude d'environ 3500 à 4500 m, semble nécessaire pour déclencher les processus d'adaptation physiologique souhaités. Chez certains alpinistes d'exception, l'exposition à l'altitude ne semble pas imposer d'altérations majeures sauf sur le plan des besoins nutritionnels et énergétiques qui se trouvent augmentés.

Parmi les symptômes les plus fréquents, figurent les maux de tête, les troubles du sommeil et les nausées responsables d'une perte de l'appétit. Les processus de digestion et d'absorption peuvent être perturbés au cours d'une ascension au-delà de 3500 m et entraîner une diminution du transit intestinal (déplacement du contenu du tube digestif vers le rectum, sous l'influence du péristaltisme intestinal). Certains alpinistes consomment des enzymes digestives, disponibles en comprimés. Prises 30 minutes après le repas, ces enzymes favorisent la digestion. L'anorexie temporaire constitue un autre problème très courant chez l'alpiniste en voie d'adaptation. La perte de poids, attribuable à une consommation d'énergie inadéquate et aussi à une mauvaise absorption de l'énergie consommée, peut se révéler majeure. Pour cette raison, une augmentation de l'état nutritionnel et énergétique, par l'ingestion accentuée de nutriments et de calories, s'impose avant le départ en expédition. Pendant le séjour en haute altitude, de plus, il importe de consommer une quantité adéquate d'aliments énergétiques afin de répondre aux besoins engendrés par la difficulté du terrain, l'environnement froid et le port des vêtements et du sac à dos. Plus la personne sera adaptée, meilleur sera son appétit.

Perte d'appétit → perte de poids → manque de nutriments → conséquences : les vitamines et les minéraux sont en dessous des niveaux recommandés.

Alimentation et tolérance à l'altitude

Voici quelques faits nutritionnels résultant d'expériences scientifiques ayant été menées en altitude. L'activité physique en altitude conduit le métabolisme à mettre l'accent plutôt sur l'utilisation du glucose et à faire passer l'utilisation des graisses au second plan. Des tests ont été pratiqués sur des indigènes de La Paz, habitués à vivre en altitude. Pour se transformer en énergie, les lipides consomment de l'oxygène, contrairement aux glucides. Ce phénomène explique la grande facilité de digérer et de métaboliser les glucides là où l'oxygène se fait rare. Les protéines se digèrent aussi très difficilement en altitude. Les alpinistes performent donc mieux avec une diète faible en gras et en protéines.

Des glucides pour l'ascension

Il est bien démontré qu'une alimentation à haute teneur en glucides complexes convient particulièrement aux sportifs s'engageant à long terme dans une ascension plus ou moins rigoureuse, car cette alimentation assure des réserves adéquates de glycogène. Puisque les glucides fournissent la moitié moins de calories pour le même poids de lipides, les alpinistes doivent manger une plus grosse quantité de nourriture.

Pour une ascension plus ou moins rigoureuse, une alimentation concentrée en glucides complexes convient particulièrement. Le tour du mont Asgard, en Terre de Baffin, par une belle journée du début d'avril.

Si ces derniers s'opposent à un gros volume d'aliments, car l'appétit diminue en altitude, il leur faut tout de même mettre l'accent sur les plats à haute teneur en glucides. Une diète élevée en glucides provoque toutefois de la flatulence intestinale, des gonflements et des douleurs abdominales suivies de gaz, symptômes désagréables et affaiblissants.

Toujours selon cette étude, 7 grammes de glucides par kilo de poids corporel suffisent pour refaire les réserves quotidiennes d'énergie musculaire.

Exemple :

Pour une femme de 60 kilos, cela représente 7 g X 60 kg = 420 g de glucides dans la diète, ce qui correspond à 420 g X 4 kcal/g = 1680 kcal. Cela représente un gros volume de nourriture sous forme de sucre. Des habitudes alimentaires normales pour la même femme de 60 kilos fournissent moins que 300 grammes de glucides.

Quelques aliments glucidiques	
5 demi-abricots séchés	11 g
5 dattes séchées	30 g
5 figues	61 g
5 demi-poires	61 g
1/2 tasse de céréales granola	30 g
1 barre tendre	17 g
1 bagel	30 g
1 muffin anglais	26 g
1 sachet gruau instant épices et cannelle	35 g
1 sachet gruau instant pêche et crème	26 g
1 tasse de pâtes cuites	26 g
1 tasse de riz blanc ou brun cuit	50 g
1 tasse de riz instant réhydraté	40 g
1 tasse de Chili (aliments fermentescibles, pouvant produire des gaz)	40 g
1 tasse de lentilles cuites (aliments fermentescibles, pouvant produire des gaz)	40 g
1 tasse de pommes de terre en purée	32 g

D'autres inconvénients de la haute altitude entraînent une mauvaise absorption des lipides à 4700 m, la mauvaise absorption des protéines à 5000 m ainsi qu'une autre diminution importante de l'absorption des lipides à 6300 m. La haute altitude a diminué l'efficacité métabolique et provoqué, chez tous les sujets de cette étude, une fatigue énorme, une augmentation de la dépense énergétique de base accompagnée de changements hormonaux, de problèmes intestinaux et d'une perte de poids. Il importe aussi de préciser que la capacité d'endurance baisse considérablement avec l'altitude.

>3500 m	perte d'appétit, diminution du poids jusqu'à 1 kg par semaine,
>4700 m	mauvaise absorption des lipides,
>5000 m	difficulté à digérer les protéines et mauvaise absorption de celles-ci,
>6300 m	fatigue énorme, augmentation du métabolisme basal accompagné de changements hormonaux et de problèmes intestinaux.

Recommandations en vitamines et minéraux

D'un point de vue global, pendant un séjour prolongé en altitude, toute une série de processus permettent à l'organisme de s'adapter. L'augmentation du nombre des globules rouges pour compenser dans une certaine mesure la baisse de l'oxygène dans l'air apparaît certainement comme le plus marquant d'entre eux. L'exposition à l'altitude provoquerait une augmentation de l'absorption intestinale du fer, ce qui entraînerait une croissance du taux d'hémoglobine, et un supplément de fer aiderait à pratiquer cette activité. Car une déficience en fer dans la diète entraîne une utilisation des réserves de fer. Certaines études contredisent toutefois cette affirmation et l'hypothèse demeure à vérifier.

Une expérience d'une durée de 31 jours entre 2400 m et 4300 m a démontré chez l'alpiniste une déficience en vitamines B_1 et B_6. Un apport de ces vitamines, indispensables dans le métabolisme des glucides à l'effort, devient profitable pour les alpinistes exposés à une hypoxie modérée et vivant en même temps une augmentation de l'activité physique. Les céréales à grains entiers, les légumineuses, les produits laitiers écrémés et les œufs lyophilisés en contiennent tout particulièrement.

Peut-être le stress accroît-il aussi les besoins en vitamine C. Cette vitamine, très fragile, ne se trouve que dans les fruits et légumes frais. Pour les séjours prolongés en plein air, la vitamine C doit donc être prise sous forme de supplément et absorbée dans la matinée pour ne pas altérer le sommeil par son effet légèrement excitant. Mises à part certaines exceptions, l'exposition à l'altitude ne semble pas imposer d'autres altérations majeures dans les besoins nutritionnels. La recherche se poursuit toutefois et il ne fait aucun doute que des données additionnelles permettront de formuler des recommandations encore plus adaptées aux conditions en altitude.

Sur les glaciers du mont Rainier (4400 m), les randonneurs doivent rapporter leurs matières fécales («honey bags» fournis) au camp de base à 3000 m et les déposer dans les bacs à compost. L'alimentation de l'alpiniste diffère de celle de tous les autres adeptes d'activités de plein air, car l'appétit décroît avec l'altitude.

Boire pour mieux grimper

À 4000 m, l'air perd la moitié de son contenu en vapeur d'eau pour devenir pratiquement sec au-dessus de 6000 m. Plus la montée progresse, plus l'air inspiré devient sec et, par contre, plus l'air expiré des poumons est saturé de vapeur d'eau. Le manque d'oxygène entraîne une intensification de la fréquence respiratoire. L'augmentation de la sécheresse de l'air et la ventilation accélérée provoquent par conséquent une augmentation des besoins d'eau. La consommation de glucides accroît aussi les besoins en eau. Les pertes dues à la respiration et à la transpiration atteignent facilement de 4 à 5 litres par jour. Le degré habituel d'hydratation doit être maintenu par l'absorption fréquente de 125 ml d'eau, soit jusqu'à 6 ou 7 litres par jour, afin que l'effort soit produit dans les meilleures conditions. L'alpiniste polonais Krzysztof Wielicki, pionnier des ascensions hivernales et en solitaire des 8000 m, confirme qu'en haute altitude il est préférable de boire plutôt que de manger; ainsi s'est-il toujours obligé à boire 2 litres de plus que sa capacité, pour la santé et la performance.

Déshydratation et œdème

L'hypohydratation cause une partie de la perte de poids. Les reins retiennent l'eau vraisemblablement pour compenser l'augmentation des pertes hydriques par la respiration. En conséquence, le volume des urines et des pertes sudorales diminue. À partir de 3000 m et au delà, la production de l'hormone antidiurétique (ADH) se trouve plus stimulée. Cette libération d'hormone aboutit à la rétention des liquides et entraîne des œdèmes pulmonaires et cérébraux qui frappent les sportifs en voie d'acclimatation ou qui supportent mal l'altitude. Dans ces conditions, il va sans dire que l'alcool demeure très difficile à supporter, car sa transformation et son élimination exigent de l'oxygène.

Rations quotidiennes adaptées

L'alimentation de l'alpiniste diffère de celle de tous les autres adeptes d'activités de plein air. L'appétit décroît avec l'altitude, surtout en période d'acclimatation. Les goûts et les fringales de certains aliments demeurent imprévisibles. D'une sous-alimentation peuvent s'ensuivre un épuisement des réserves glucidiques et une fonte musculaire provoquée par une ration protéique insuffisante. Le poids du sac à dos, toujours trop lourd, ajoute un problème majeur qui accroît la nécessité d'un choix judicieux des aliments. La règle fondamentale consiste en l'élaboration de menus sur une base hyperglucidique qui favorise les pains d'épices secs, les plats de pâtes, de riz, de purée de pommes de terre, les céréales type muesli et les purées de fruits lyophilisées. En plus de fournir des sucres complexes, ces aliments offrent la plus grande rentabilité du point de vue poids et valeur énergétique.

À son retour du sommet de l'Everest, en 1991, Yves Laforêt, ingénieur québécois, disait : […] *en altitude, l'estomac a du mal à digérer et on perd graduellement l'appétit, comme si on voulait épargner à son organisme l'effort de la digestion. La réduction de la masse musculaire est importante. L'estomac refuse la nourriture, l'organisme est trop tendu et tolère à peine l'eau et le thé pas trop sucré...* (L'Everest m'a conquis, p. 189) Durant la journée fatidique, juste avant d'atteindre le sommet, il a ingurgité un superaliment à base d'algues en comprimés fournissant tous les acides aminés essentiels, en quantité équilibrée naturellement. Végétarien par goût, depuis des dizaines d'années, Yves considère que la qualité et la saveur des aliments composant le menu peuvent motiver l'alpiniste à manger ce qu'il transporte et faire la différence entre succès et échec.

Exemple de menu quotidien pour alpiniste :

    120 g de lait en poudre écrémé (pour le petit-déjeuner et le plat principal)

    2 œufs lyophilisés

    60 g de fromage à pâte dure de type gruyère

    160 g de lait concentré sucré

    100 g de riz précuit + 5 ml de tamari (le riz peut être remplacé par 100 g de pâtes sèches)

    200 g de farine complète (galettes de blé ou chapatis)

    100 g d'un cocktail de fruits secs ou lyophilisés

    10 ml de sucanat ou sucre brut

    2 sachets de thé, de café ou de lait au chocolat

    … et une provision d'aspirines !

4 La faim
justifie les moyens

Mode d'alimentation en plein air

J'ai un réel plaisir à voir les campeurs se régaler en camping, manger lentement et savourer, tout en racontant leur journée. En plein air, le plaisir de manger reprend tout son sens. Malgré les contraintes, souvent imposées par l'éloignement, la température et l'équipement restreint, il demeure possible de préparer des repas gastronomiques sans préparation savante. La plupart du temps, les meilleurs repas réunissent un choix d'aliments sains, une préparation simplifiée, une présentation attirante et des amis.

Choix des aliments

Les aliments composant les menus en plein air doivent à la fois satisfaire l'appétit, fournir un maximum de calories pour un minimum de poids et de volume et pouvoir se conserver pendant la durée du séjour. Pour un pique-nique, le menu ne comprend pratiquement que des aliments frais, satisfaisant toutes les attentes. Souvent pour les sorties de deux ou trois jours, j'ajoute des fruits et légumes frais au menu composé en partie d'aliments secs. Le poids du sac diminue donc de beaucoup et rapidement. En automne, pour une randonnée en montagne par beau temps frais, même le yogourt peut faire partie du pique-nique sans souci de conservation. Pour les randonnées à skis de printemps, les pommes sont appréciées et ne gèlent pas, même quand le mercure oscille autour de −4 °C.

Toutefois, pour répondre aux exigences de l'alimentation au cours de sorties plus longues, en canot-camping, à pieds, en skis ou pendant une expédition, une variété croissante d'aliments sont disponibles sur le marché. Les aliments déshydratés, lyophilisés et précuits séchés, sous forme entière, en granules ou en poudre, conviennent particulièrement. Les différents procédés de séchage visent à réduire le volume ainsi que le poids, à augmenter la durée de conservation en diminuant la croissance bactériologique, et à faciliter le transport et le rangement. Faciles à conserver dans un emballage approprié, solide, léger et imperméable, ces aliments permettent d'économiser temps et carburant à cause de leur préparation et de leur cuisson faciles et rapides. Très soutenants et substantiels, ils possèdent une valeur nutritive et un pouvoir calorique élevés.

< Il est facile et rapide de cuisiner avec des aliments déshydratés et lyophilisés. J'éprouve une sensation indéfinissable de liberté et un vrai plaisir à cuisiner à flanc de montagne avec une vue incomparable depuis la salle à manger. Photo : Marc Saint-Onge

Voici la liste des aliments que l'on trouve sur le marché, pour aider à composer un menu équilibré et faciliter grandement la tâche en plein air. Ces aliments représentent des choix judicieux répondant aux exigences de l'alimentation en camping sauvage. Ils sont savoureux, nutritifs et pratiques. Ils doivent faire partie de la liste d'épicerie quand vient le temps de composer le menu. Plusieurs de ces ingrédients se retrouvent dans les recettes du chapitre 6.

Liste des aliments disponibles
classés selon les groupes du *Guide alimentaire canadien*

Fruits et légumes	Produits céréaliers	Produits laitiers
fruits secs	toutes les farines	lait en poudre écrémé ou entier, U.H.T.
pâte de fruits	mélanges à crêpes	fromage à pâte dure :
macédoine de légumes déshydratés en flocons	pain pita, pumpernickel ou de seigle, bagel	fromage Bonbel* en portions individuelles
potages et soupes	biscuits, pain d'épices	Caciocavallo, Friulano
pommes de terre en flocons	biscottes, tortillas	fromage à pâte dure, râpé et séché (provolone, parmesan, cheddar, gruyère, beaufort, comté...)**
oignons en flocons	céréales : gruau instantané, muesli, crème de blé instantanée, germe de blé grillé, semoule (couscous), granola	
tomates déshydratées	riz instantané	
tomates en poudre	pâtes (de blé, de soya, aux légumes, orzo, macaroni, etc.)	
champignons séchés	maïs à éclater	
tous les légumes pouvant être déshydratés à la maison	tapioca minute	

* La paraffine alimente le feu de camp.

** Pour saupoudrer sur les potages.

Viande, volaille, œufs	Divers	Substituts : légumineuses, noix et graines
jerky	huile,	toutes les légumineuses déshydratées
pemmican, prosciutto,	sucre, sucre d'érable (râpé séché), miel, confiture, lait concentré sucré	lentilles rouges
viande des Grisons,	café, café de céréales, thé noir, thé vert, poudre de cacao, Ovaltine, infusions	graines de citrouille, sésame, tournesol, pignons de pin grillées, noix de coco
jambon de Bayonne		amandes, arachides, noix du Brésil, noix de cajou, de Grenoble
saucisson sec	assortiment d'herbes et d'épices	pâte d'amandes, halvah
viande déshydratée	moutarde	beurre d'arachide, de noisettes, d'amandes
viande lyophilisée	boissons : cristaux à saveur de fruits	
sauce à spaghetti à la viande déshydratée	cubes de bouillon ou poudre de bouillon	
œufs lyophilisés en poudre	soupes déshydratées	
	nougat, chocolat	
	supplément multivitamines et minéraux	

Note : les enveloppes de soupes commerciales ne font pas partie de cette liste à cause de la présence du glutamate monosodique (GMS), additif alimentaire qui relève instantanément la saveur des aliments et stimule l'appétit. Mieux connu sous le nom de «accent», il se trouve à l'état naturel dans les tomates, les champignons, la sauce soya, les algues, le fromage parmesan... Produit industriellement, par fermentation du sucre de canne ou du tapioca, il est rajouté aux bases des assaisonnements des soupes, des bouillons et des mélanges à sauces. Lorsqu'il est utilisé en petites quantités, il fait ressortir la saveur naturelle des aliments. Par contre en dose excessive, en plus d'augmenter la soif, il peut être responsable de légers malaises (douleurs à la poitrine, pressions aux mâchoires et maux de tête), qui disparaissent généralement dans l'heure, et peut aussi provoquer une allergie. Utilisez-le avec parcimonie. Lisez la liste des ingrédients sur les emballages et choisissez de préférence les produits sans GMS.

Pour le confort et la santé des muscles dorsaux, le poids total du sac à dos ne doit pas dépasser le tiers du poids corporel. Au Groenland, les cours d'eau provenant des glaciers rafraîchissent à souhait.

Transporter léger

Transporter léger devient presque une obsession, surtout en randonnée pédestre et encore davantage en altitude ou même simplement en canot-camping. Pour le confort et la santé des muscles dorsaux, le poids total du sac à dos ne doit pas dépasser le tiers du poids corporel. Une femme de 60 kg peut donc transporter très confortablement de 15 à 20 kg. Pour la part de nourriture, on arrive à obtenir des rations journalières de 900 g par personne, l'emballage inclus représentant environ 5 g. La restriction de poids dépend de la longueur du séjour et de l'activité. Une excursion plus courte laisse évidemment une plus grande liberté d'action.

Sur le sentier des Appalaches, aux environs du mont Kathadin, j'ai un jour rattrapé un randonneur qui, de loin, semblait transporter un gros bouquet de plantes. En accélérant dans sa direction, je devinais des touffes d'herbes et une fois près de lui j'ai reconnu des jeunes pousses de tournesol, de luzerne, de lentilles. Son système de germination m'intriguait tellement que j'ai allongé ma randonnée pour camper au même endroit. Parti de la Géorgie en mai, il terminait en ces beaux jours de fin septembre une randonnée de 3500 km. En planifiant son menu, il voulait éviter de sortir trop souvent du sentier pour aller s'approvisionner aux différents villages afin de remplacer les légumes et pour un plus grand apport de vitamines, minéraux et enzymes. Il avait opté pour le transport de graines de différentes légumineuses et céréales. À l'arrière de son sac à dos, il fixait une grande poche de plastique résistant et compartimentée pour séparer les différentes graines. Comme il prenait soin de les arroser au besoin et de les abriter de la lumière pendant les trois premiers jours, elles germaient, et avec son système d'alternance il se régalait des jeunes pousses chaque soir. Aux deux semaines, il descendait au village à la croisée du sentier pour faire le plein de fromage et de différentes denrées de base comme le riz et les pâtes. Le

94

partage de nos repas respectifs s'est fait avec curiosité, plaisir et fascination. J'avais l'impression de me retrouver avec le plus granola des granolas !

À I kg environ par jour par personne, la nourriture constitue l'article le plus lourd pour l'ensemble de la randonnée. Pour que le remplissage du sac à dos procure un meilleur confort, placer la nourriture juste au niveau de son centre de gravité et le plus près possible du dos.

Au printemps 86, je participai à une randonnée de 15 jours en skis dans les monts Groulx. Une adepte de l'alimentation instinctive faisait partie du groupe. Ce mode alimentaire particulier confie à l'odorat et au goût le soin de guider le choix des aliments d'origine animale ou végétale. Chaque matin, après avoir senti et goûté à l'ensemble de ses échantillons, elle sortait sa réserve d'un aliment précis, choisi instinctivement, en se laissant guider par ses sens. Quelle étonnante croyance ! Elle débordait d'une foi totale dans les directives de ce mode alimentaire. Dès les premiers jours, j'ai découvert qu'elle transportait du chou, de la laitue, des tomates et des raisins frais en quantités démesurées vu l'impossibilité de déterminer ses goûts à l'avance. Il ne manquait plus qu'une balance... Elle a dû passer une partie du séjour au camp de base, soit le temps de vider le potager ! ! !

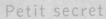

Planification des menus et goûts particuliers

Le menu idéal répond parfaitement aux goûts et aux besoins énergétiques et nutritionnels de chacun. Il faut composer le menu en tenant compte des préférences et des particularités nutritionnelles personnelles de chaque membre du groupe, afin que l'ensemble du menu fasse l'unanimité.

Mon grand plaisir est de satisfaire les goûts de tous mes campeurs. À l'Anse-aux-Loups, les milliards de moustiques labradoriens nous ont rappelé qu'ils étaient les rois de la toundra. Si seule la femelle pique, je pense n'avoir jamais vu de mâle.

95

Questionnaire sur les goûts alimentaires des participants

Nom :

Quel est votre plat préféré en camping?

Y a-t-il des plats que vous détestez manger en camping?

Avez-vous un dégoût pour des aliments en particulier?

Souffrez-vous d'allergies alimentaires?

Lesquelles?

Évaluation de l'appétit de chacun. Faire une moyenne. Le petit mangeur donnera une part au plus gros mangeur.

Choisir un qualificatif approprié à votre appétit : □ gros □ moyen □ faible

Avant de déterminer le choix du menu, il est important de connaître la répartition des repas adoptée et l'équipement de cuisine de camping emporté. Ce n'est évidemment pas nécessaire pour les pique-niques qui ne nécessitent aucun équipement ni préparation particulière sur place.

Répartition des repas

Cette notion de répartition des repas s'applique à toutes les activités de plein air pratiquées pendant une journée entière et davantage encore aux excursions de plusieurs jours. Deux repas chauds se prennent au campement, soit le déjeuner, qui doit être substantiel, fortifiant, riche en glucides et facilement assimilable, et le souper, qui doit être copieux et véritablement réparateur. Entre ces deux repas, pendant la journée, chaque personne consomme des vivres de course à sa guise et à plusieurs reprises. Sortis de la poche de l'anorak ou du sac à dos, ces vivres ne nécessitent aucune préparation culinaire et sont ingérés pendant les pauses ou même au cours du déplacement. Ce mode d'alimentation est apprécié surtout en hiver pour éviter de geler pendant les pauses trop longues ou encore avec les enfants.

96

Les vivres de course sont consommés à diverses reprises à partir de deux heures après le déjeuner pour se terminer deux heures avant le souper. De petites collations à intervalles rapprochés semblent particulièrement souhaitables pour favoriser l'accomplissement de l'activité physique continuelle avec une meilleure efficacité. Il s'agit de *la loi des trois heures* : il faut au moins trois heures entre la fin d'un repas important et le début des efforts physiques. Pour cette raison et par commodité surtout, on opte pour le rythme alimentaire d'origine anglo-saxonne en intercalant des vivres de course entre les repas du matin et du soir.

Toutefois, même si j'aime bien l'idée de perdre les repères quotidiens en plein air, quand les pauses sont rares et irrégulières, on ne mange pas suffisamment, la fatigue finit par dominer l'appétit, et la performance diminue. Il faut donc s'imposer des arrêts aux heures pour maintenir le niveau d'énergie. Cette répartition des repas remonte à Robert Peary en route vers le pôle Nord. Il rapporte que lui et son équipe se trouvaient incommodés par la nécessité de s'arrêter trop longtemps, le midi, pour prendre le repas. Les heures les plus confortables et les plus ensoleillées pour avancer étaient passées à faire fondre la neige et à chauffer le bouillon. Pour ne pas perdre ce temps précieux, ils en vinrent à choisir de manger des vivres de course tout en skiant. Aujourd'hui les vivres de course sont composés d'une très grande variété d'aliments.

Le choix des aliments qui composent les vivres de course est lié aux conditions suivantes : la température extérieure, la nature de l'activité pratiquée et les préférences de chacun. Sous forme principalement de GORP (*good old reliable peanuts* : mélange de noix), les vivres de course fournissent un apport riche en calories. Il existe autant de recettes de GORP qu'il y a d'amateurs de plein air. Aux noix s'ajoutent des fruits séchés, fromages, biscuits… Utiliser la recette de base (chap. 6) à laquelle il est facile d'apporter des modifications pour satisfaire vos attentes suivant les saisons et l'activité pratiquée. Tenir compte de la fréquence de son utilisation et s'appliquer particulièrement à composer un mélange savoureux. Plusieurs d'entre ceux qui ont accumulé des kilomètres dans la nature en sont venus à manger des tonnes de GORP et à plus ou moins l'exécrer. Son pouvoir calorique concentré continue de présenter un intérêt en expédition, mais heureusement d'autres possibilités existent maintenant et, pour ma part, je l'utilise moins régulièrement.

Au printemps 70, lors de mes premières longues randonnées à skis dans l'Arctique (île Ellesmere, monts Torngat et Terre de Baffin), l'aliment de base était le lard (bacon) pour combler ma diète de 6000 calories. On ne se préoccupait pas trop du cholestérol, quitte à faire un régime-santé au retour. Je n'ai jamais calculé le pourcentage de protéines et de gras, sans même me préoccuper de la suffisance des vitamines. J'aime retrouver le même type de bouffe que dans la vie quotidienne, presque n'importe quoi, sauf du GORP. Le montagnard qui l'a inventé n'avait pas d'imagination, ni de fiancée...

Pierre Gougoux

Le choix du menu est vaste si vous utilisez une glacière. Rencontre familiale dans la période de cueillette des bleuets pour savourer les pique-niques de ma mère et se faire des provisions, digne de mes plus beaux souvenirs d'enfance.

Composition du menu

Un menu composé en tenant compte des moindres détails peut faire la différence entre le succès et l'échec d'un simple pique-nique, d'une excursion ou d'une expédition. Il mise sur la variété, la nouveauté, la gourmandise et provoque des exclamations de plaisir ! Inspirez-vous de vos meilleures recettes. Expérimentez l'utilisation de nouveaux produits. Préparez des desserts chaleureux... Mes préférés? Cantaloup au porto pour mes dîners sur l'herbe et salade de fruits tiède ou biscuits macadam en camping d'automne (voir le chapitre des recettes).

Pique-nique

Le choix du menu est vaste à la condition que vous utilisiez une glacière. Considérant les restrictions minimes et la préparation simple, il suffit d'avoir un peu de fantaisie et d'imagination pour satisfaire appétit et gourmandise : gaspacho, quartiers de poivron rouge, radis, bâtonnets de carotte, concombre, hoummos, trempette au tofu, caviar d'aubergine, tapenade, terrine aux légumes, salade d'orzo ou de toute autre pâte, salade de lentilles ou de toute autre légumineuse, salade de pommes de terre avec saumon mariné ou fumé, muffins, fromage, pâté de viande, pain complet, craquelins, gâteau, mousse aux fruits, mangue, cantaloup au porto...

Pour les excursions d'une journée seulement, je suggère la simplicité des formules utilisées pour planifier un casse-croûte. Porter une attention particulière, en saison chaude, aux aliments à base de produits laitiers et d'œufs, qui ne peuvent se conserver plus de 4 h à une température plus chaude que celle du réfrigérateur, soit 4 °C. En automne, en raison des températures fraîches, les aliments se conservent mieux dans le sac à dos, alors on peut transporter à peu près n'importe quoi et même du yogourt et des œufs cuits durs avec mayonnaise. La majorité des légumes voyagent bien dans le sac à dos : poivron, pois mange-tout, concombre, chou, courgettes et carottes. Il suffit de les emballer dans un sac de papier, qu'on double à l'extérieur d'un sac en plastique. Les légumes resteront fermes et conserveront leur fraîcheur. Porter une attention particulière pour les randonnées par temps froid. Afin d'éviter que les aliments ne gèlent, entourez-les de la veste en duvet apportée pour vous tenir au chaud lors des arrêts en prenant soin de placer une gourde remplie d'eau chaude au centre pour conserver la chaleur. Éviter les bananes et les poires. Elles n'aiment pas le froid qui les fait noircir.

Suggestions de vivres de course pour randonnée d'un jour ou d'une fin de semaine complète : pain complet, salade de riz ou d'orzo, de rigatoni, de macaroni avec petits morceaux de légumes crus et vinaigrette, salade de pommes de terre à la norvégienne (voir les recettes), salade de légumineuses, petits pains aux légumes, fromage de chèvre, jarlsberg, cheddar, fruits et légumes frais. Sandwich du randonneur : pain pita, végépâté, pâté de foie de volaille, cretons maison, laitue, fromage, mayonnaise ou moutarde. Pour la pause de 16 h : pain d'épices ou tout autre pain sucré et boisson réhydratante.

Tandis que pour des sorties en plein air d'une semaine complète ou plus, habituellement on planifie un menu sur sept jours en rotation jusqu'à la fin du séjour, ce qui équivaut ou presque à la variété des menus à domicile. Personnellement, j'aime bien prévoir un menu spécial pour les anniversaires ou encore pour fêter le dernier jour de randonnée et j'ajoute aussi des petits «extras», juste pour le plaisir.

La randonnée pédestre en autonomie complète exige une planification précise de l'aspect nutritionnel, car le poids doit être réduit au minimum. J'adore me balader dans les monts Torngat, là où on apprécie les sommets enneigés, la toundra, les sentiers de caribous, les bleuets arctiques, le silence et les aurores boréales. Photo : Marc Saint-Onge

Menus types

Trois jours en randonnée pédestre, autonomie complète

	Déjeuners	Vivres de course	Soupers
jour 1	crêpes aux trois farines* sucre d'érable dur lait au chocolat, café, thé supplément multivitamines et minéraux	GORP pain pita prosciutto fromage fruits frais	salade de carottes* soupe aux légumes spaghetti sauce à la viande déshydratée tapioca Altiplano* infusion
jour 2	granola de luxe* lait au chocolat, café, thé supplément multivitamines et minéraux	GORP pain bagel végépâté fromage moutarde gâteau Annapurna*	minestrone** chaudrée nordique** salade de fruits tiède en sirop* infusion
jour 3	couscous aux bananes* lait au chocolat, café, thé supplément multivitamines et minéraux	pain pumpernickel fromage jambon de Bayonne biscuits de brousse*	soupe du pèlerin* fricassée du portageur* biscuits macadam* infusion

* Vous trouverez les recettes au chapitre 6.

** Plats lyophilisés vendus sous la marque commerciale Outdoor Gourmet Plein Air fabriqués par Lyosan.

Sept jours en canot-camping

	Déjeuners	Vivres de course	Soupers
jour 1	fruits frais ou jus de fruits œufs frais[1] muffin anglais[2] thé, café, lait au chocolat supplément multivitamines et minéraux	GORP pain pita cretons de ma mère* moutarde concombre pommes	potage aux légumes et vermicelle[3] spaghetti sauce à la viande[4] parmesan râpé sur place gâteau aux carottes infusion
jour 2	fruits frais ou jus granola de luxe* pain au levain beurre d'arachide confiture, miel ou beurre d'érable thé, café, lait au chocolat supplément multivitamines et minéraux	GORP pain de seigle fromage prosciutto di Parma[5] moutarde petites courgettes vertes ou jaunes gâteau aux fruits* orange	potage aux carottes[6] couscous Sultana** et merguez carrés aux dattes infusion
jour 3	muffins à la poêle* confiture, miel ou beurre d'érable thé, café, lait au chocolat supplément multivitamines et minéraux	GORP pain bagel végépâté moutarde fromage biscuits de brousse*	potage parmentier potée de lentilles* saucisson sec pudding au riz* infusion
jour 4	gruau instantané crêpes de sarrasin mélasse thé, café, lait au chocolat supplément multivitamines et minéraux	GORP pain bagel fromage bœuf des Grisons biscuits au beurre d'arachide	potage aux épinards riz méli-mélo** gâteau au pavot infusion

101

	Déjeuners	Vivres de course	Soupers
jour 5	fèves au lard sur feu de bois* sirop d'érable thé, café, lait au chocolat	GORP fromage Caciocavallo saucisson sec pain pumpernickel pain d'épices	potage au chou-fleur casserole mexicaine** maïs éclaté au sirop d'érable[7] infusion
jour 6	crêpes aux trois farines* sirop d'érable thé, café, lait au chocolat	GORP prosciutto di Parma fromage gruyère biscottes pain aux courgettes	potage aux champignons fricassée du portageur* tapioca Altiplano* infusion
jour 7	œufs brouillés** muffins à la poêle* beurre d'arachide confiture thé, café, lait au chocolat	GORP pain pumpernickel fromage cheddar fort hareng en conserve biscuits macadam*	soupe orientale* dal-bath** salade de fruits tiède en sirop* infusion

Je profite de l'une des grandes richesses touristiques du Québec : l'accessibilité à tant de cours d'eau. En canot, avec mes étudiants; nous vivons un séjour inoubliable dans le parc national de la Mauricie. Ils apprennent à planifier un menu adapté.

* Vous trouverez les recettes au chapitre 6.

** Plats lyophilisés vendus sous la marque commerciale Outdoor Gourmet Plein Air fabriqués par Lyosan.

1. Les œufs frais doivent être transportés dans des contenants appropriés de type commercial ou enveloppés dans du papier journal et placés dans un contenant de plastique troué (pot de yogourt troué à l'aide d'un perceur à feuille).

2. Muffin anglais : petit pain rond au maïs, coupé en deux parties égales. Son ancêtre est le scone écossais.

3. Cubes ou poudre de bouillon + légumes frais en morceaux ou déshydratés en flocons + vermicelle coupé + sarriette et estragon.

4. Sauce à spaghetti : préalablement congelée et placée dans le sac à dos, le matin du départ.

5. Prosciutto di Parma : le vrai prosciutto italien, l'original ! Élaboré en Italie sous la surveillance du Consorzio del Prosciutto di Parma. D'ailleurs, l'excellence des jambons séchés à l'air de la région de Parme était reconnue dès les années 100 avant J.-C. Le prosciutto se compose de quatre ingrédients : le porc italien, le sel, le grand air et le temps... Disponible dans les marchés et les boutiques de spécialités italiennes. Le prosciutto original est servi chambré, coupé très mince et sans retirer le gras qui fait corps avec le jambon, équilibrant sa saveur et sa texture.

6. Cubes ou poudre de bouillon + carottes fraîches ou déshydratées + oignon en poudre + branche de romarin + lait en poudre.

7. Maïs éclaté au sirop d'érable : arroser le maïs éclaté encore chaud d'un filet de sirop d'érable.

À la fin de chaque journée, cocher la consommation de chaque aliment ou plat afin de connaître les provisions au jour le jour jusqu'à la fin de l'expédition.

Déjeuners

granola de luxe*	☐☐☐☐☐☐☐☐☐☐	10x
crème de blé amandine	☐☐☐☐☐	5x
gruau instantané	☐☐☐☐☐☐☐☐☐☐	10x
couscous aux bananes*	☐☐☐☐☐	5x
galettes polaires* 2/jour	☐☐☐☐☐☐☐☐☐☐☐☐☐☐☐☐☐☐☐☐☐☐☐☐☐☐☐☐☐☐	30x
lait au chocolat	☐☐☐☐☐☐☐☐☐☐☐☐☐☐☐	15x
thé	☐☐☐☐☐☐☐☐☐☐☐☐☐☐☐	15x
suppléments vitamines + minéraux	☐☐☐☐☐☐☐☐☐☐☐☐☐☐☐☐☐☐☐☐☐☐☐☐☐☐☐☐☐☐	30x

Vivres de course

GORP salé*	☐☐☐☐☐☐☐☐☐☐☐☐☐☐☐☐☐☐☐☐☐☐☐☐☐☐☐☐☐☐	30x
GORP sucré	☐☐☐☐☐☐☐☐☐☐☐☐☐☐☐☐☐☐☐☐☐☐☐☐☐☐☐☐☐☐	30x
prosciutto	☐☐☐☐☐☐☐☐☐☐	10x
viande des Grisons	☐☐☐☐☐☐☐☐☐☐	10x
jambon de Bayonne	☐☐☐☐☐☐☐☐☐☐	10x
bouchons de chèvre	☐☐☐☐☐☐☐☐☐	9x
fromage comté	☐☐☐☐☐☐☐☐☐☐	10x
fromage gruyère	☐☐☐☐☐	5x
fromage Caciocavallo	☐☐☐☐☐☐	6x
biscuits macadam*	☐☐☐☐☐☐☐☐☐☐	10x
chocolat	☐☐☐☐☐☐☐☐☐☐☐☐☐☐☐☐☐☐☐☐	20x
barres énergétiques	☐☐☐☐☐☐☐☐☐☐☐☐☐☐☐☐☐☐☐☐☐☐☐☐☐☐☐☐☐☐	30x
sucre à la crème	☐☐☐☐☐☐☐☐☐☐	10x
cuir de pomme	☐☐☐☐☐☐☐☐☐☐	10x
cristaux à saveur de fruit	☐☐☐☐☐☐☐☐☐☐☐☐☐☐☐☐☐☐☐☐☐☐☐☐☐☐☐☐☐☐	30x

Destination : Terre de Baffin… si vous avez le goût des grands espaces, des paysages splendides et surtout de prolonger l'hiver dans une région arctique aux lumières enivrantes du printemps. Une expédition en régions éloignées et froides exige la planification d'un menu composé d'aliments secs, déshydratés et lyophilisés complété par un apport de gras sous forme de noix, fromage, huile et chocolat.

Soupers		
potages	□□□□□□□□□□□□□□□□□□□□□□□□□□□□□□	30x
rafaello aux crevettes et à l'ail*	□□□	3x
pommes de terre et jambon Forêt Noire déshydraté	□□□□□	5x
riz aux canneberges*	□□□	3x
couscous Sultana**	□□□	3x
potée de lentilles* et saucisson sec	□□□□	4x
Chili d'ici**	□□□□	4x
spaghetti et sauce à la viande déshydratée	□□□□	4x
chaudrée nordique**	□□□□	4x
gâteau aux fruits*	□□□□□□	6x
carré énergétique	□□□□□□□	7x
sucre d'érable	□□□□□□	6x
salade de fruits tiède en sirop*	□□□	3x
biscuits de brousse*	□□□□□	5x
pain d'épices	□□□	3x
infusions	□□□□□□□□□□□□□□□□□□□□□□□□□□□□□□	30x

* Vous trouverez les recettes au chapitre 6.

** Plats lyophilisés vendus sous la marque commerciale Outdoor Gourmet Plein Air fabriqués par Lyosan.

La faim justifie les moyens

L'aventure, l'une des grandes joies de la cuisine, prend une dimension toute spéciale dans les menus végétariens qui laissent encore plus de place à l'imagination. Comme il existe plus de 50 variétés de légumineuses comparativement à une dizaine de sortes de viande, il devient plus facile de varier les plats végétariens. Cependant, adopter un régime végétarien pose un problème pour les sorties de plein air, puisque le poids et l'espace exigent un calcul rigoureux. Un menu végétarien entraîne une quantité plus importante d'aliments, car les calories et les protéines sont plus concentrées dans les produits d'origine animale. À valeur nutritive égale, le sac à dos du végétarien contient un poids et un volume plus grands d'aliments que celui de l'aventurier omnivore.

Toutefois rien n'égale la diversité d'aliments d'une alimentation végétarienne : les lentilles et toutes les sortes de haricots diversifient le menu. Choisissez les meilleures recettes de votre répertoire, cuisinez-les et déshydratez-les. Comme vivres de course, les légumineuses cuites, marinées et déshydratées offrent aux végétariens une excellente source de protéines. Elles se consomment comme des noix et complètent adéquatement le fromage ou les galettes de riz.

Fiche technique

Remplie à la fin de chaque journée de camping, la fiche technique, grâce aux commentaires recueillis, aidera à améliorer votre menu et votre organisation pour la prochaine sortie. Tout ce qui a rapport à l'équipement et au déroulement de la journée, l'emballage, les quantités, la conservation, s'y trouve noté. Cette méthode de collecte des données représente la meilleure voie pour l'acquisition et l'amélioration de vos compétences et de la qualité de service offert à votre groupe. Voici en exemple une fiche technique remplie pendant une de mes expéditions en Terre de Baffin.

Exemple de fiche technique

Date : *18 avril 96* **Jour** : *5 , Camp 4*   **Étape** : *Traversée de la Calotte de Penny*
Altitude : *2150 m, 5 h de ski, 16 km*   **Coordonnées** : *Long. : 66°50'N*   *Lat. : 65°14'O*
Temp. : *-22 °C, vent fort, puis neige avec visibilité réduite*

Déjeuner : *on a calculé 3 chocolats chauds/personne/jour, deux le matin et un à 5 h à l'arrivée; mais ce matin j'en aurais bu un troisième. Je ne bois pas en soirée pour éviter de me lever la nuit, mais le matin je ressens beaucoup la soif. Les galettes polaires sont meilleures si on prend le temps de les réchauffer sur le bord du réchaud pendant que l'eau bout. La chaleur rehausse la saveur du beurre et du sésame.*

Vivres de course : *le fromage de chèvre est apprécié, il demeure croquant même à −22 °C. Je préfère manger du bœuf des Grisons plutôt que ma demi-tasse de noix mélangées; j'adore les fruits secs non sulfurés.*

Goûter à 5 h : *habituellement je me garde une barre aux fruits et un peu de thé pour l'arrivée, mais il a fait plus froid que les autres jours et j'ai dû manger tous mes vivres de course pour satisfaire ma faim et me réchauffer. Je dois puiser dans ma réserve de barres aux fruits (aux abricots, c'est ma préférée). Cette énergie me permettra de travailler à l'installation de la tente-cuisine sans ressentir trop de fatigue et surtout d'attendre le dernier repas vers 19 h. Puisqu'il ne fait jamais nuit, nous ne sommes pas limités dans le temps.*

Souper : *les portions sont grosses et nous en sommes ravis. Le potage minestrone est notre préféré à tous. Personne n'a osé prendre d'infusion. On ne veut pas sortir cette nuit, le vent fait rage de plus en plus, c'est l'Arctique !*

Quantité restante de carburant : *environ 11 l pour une équipe de 6 (il reste 9 jours).*

Assaisonnements : *la chaudrée nordique est le plat préféré du groupe, le goût est parfait.*

Satiété : *oui, car les portions sont généreuses. Quant au pain au gingembre, même si on en redemande, étant donné que la réserve s'épuise trop vite, il y a un seul service ce soir. Le gingembre confit nous procure une sensation forte de chaleur le long du tube digestif et c'est très apprécié avant la nuit.*

Goût d'un aliment en particulier ? *Non, peut-être à la fin de l'expédition... souvent la salade nous manque.*

Y a-t-il des aliments superflus ? *On accumule du sucre brun, en trop chaque jour.*

Trucs pour différentes activités de plein air

Canot : on peut se permettre de transporter un peu plus lourd et donc de placer des aliments frais pour le premier jour dans le fond du canot (à cause de son immersion dans l'eau, cette partie garde la fraîcheur). Si vous utilisez des barils, remplissez-les d'aliments frais (fruits, légumes, fromage…) puis enveloppez-les d'une couche de jute et déposez-les dans l'eau. Ils flottent, la jute s'imprègne d'eau et ce principe de réfrigération aidera à conserver les aliments bien froids. Pour installer un campement sur le sable, délimitez l'emplacement de la cuisine afin de minimiser le trafic autour des chaudrons et d'éviter de trouver du sable dans le fond du bol à soupe.

Je garde un souvenir impérissable d'une dégustation de moules fraîchement cueillies au fond d'un fjord au sud du Groenland.

En canot ou en randonnée plus au nord : prévoyez que la pêche peut vous apporter du bonheur dans votre gamelle chaque jour. La randonnée pédestre demande une planification précise au point de vue poids et volume, donc le fait de se fier à la pêche minimise davantage la quantité de nourriture à transporter. J'ai un souvenir impérissable d'un pique-nique au fond d'un fjord sur la pointe sud du Groenland. Vers midi, on ramasse les moules soudées au rocher et on les fait mourir sur la grille au-dessus d'un feu de broussaille. C'est tellement bon qu'on recommence, juste pour le bonheur des papilles et bien sûr la sécurité nutritionnelle du point de vue de l'apport en minéraux. Oups ! il est 16 h, il reste 5 km de montagne. Une chance que le soleil oublie de se coucher à cette latitude.

En randonnée dans le désert, prévoir une gourde d'eau avec une pipette, afin de satisfaire le besoin d'étancher la soif régulièrement sans avoir à s'arrêter.

En vélo, contrairement à d'autres activités de plein air, le moyen de transport permet d'avoir accès à des produits frais et à la cuisine régionale. Donc moins de nourriture à planifier et à transporter. Selon Jean-François Pronovost de Vélo-Québec, on peut avoir à se composer un menu dans une épicerie-dépanneur d'une station-service, mais on peut aussi, au terme de quelques kilomètres de

107

En cyclotourisme, j'aime camper, mais je préfère dîner dans un petit restaurant typique. Toutefois je transporte un réchaud, au cas où… En Californie, un Vendredi saint, j'avais fait le plein des gourdes au presbytère du dernier petit village, avant la longue montée vers la Pacific Crest Trail. On se disait bien protégé a boire ainsi de l'eau bénite !
Photo : Pierre Pontbriand

pur bonheur cyclotouristique, tomber sur une de ces auberges villageoises inconnues des circuits touristiques et dont on ne voudra conserver l'adresse que pour ses amis… Le midi on se débrouille avec la cantine le long de la route et si le plaisir de se chercher un petit resto typique chaque soir n'est pas possible, car il existe des coins vraiment reculés, on planifie au dépanneur ou à l'épicerie le prochain repas.

Pour le randonneur en montagne et l'alpiniste, des bonbons au miel peuvent se révéler très pratiques pour un apport énergétique d'urgence.

En bungi : mieux vaut manger après l'activité ! ! !

Préparation culinaire pour activités de plein air

Équipement et accessoires culinaires

L'équipement choisi influence le type de menu. Une bonne règle consiste à acheter un seul article de bonne qualité plutôt que plusieurs médiocres. Un article mieux construit et bien entretenu servira durant des années. Le prix toutefois ne saurait être considéré comme un critère de qualité. Les ustensiles en lexan par exemple, robustes et les mieux adaptés pour le plein air, coûtent moins cher. La réussite des plats ne dépend pas seulement de l'imagination et de l'habileté du cuisiner mais également de son équipement dont la qualité peut transformer le cuistot en maître.

À part l'équipement qu'on apporte, il y a les possibilités de se fabriquer un four sur place avec des pierres bien choisies, de se constituer un espace pour manger et de s'asseoir en groupe en disposant des pierres plates ou des troncs d'arbre…

108

Équipement collectif de base

Été - Automne (quelques articles facultatifs sont marqués d'une *)		
réchaud, carburant, bouteilles, allumettes, ensemble de réparation pour le réchaud		
réchaud + ensemble de réparation + allumettes	300 g	+ 50 g (paravent)
*diffuseur de chaleur	165 g	
*isolant à casserole ou marmite norvégienne	160 g	
casseroles avec couvercle	390 g (2 l)	
poêle à frire	300 g	
*spatule	40 g (en lexan)	
cuillère à mélanger	20 g (en bois)	25 g (en plastique)
*fouet	35 g	
*tamis flexible (passoire à nouilles)		
tasse à mesurer (si votre gourde n'est pas graduée)		
*purificateur d'eau	220 gr	
*grille à rôties		
sacs fourre-tout pour la nourriture		
pince agrippante ou gant épais	85 g	
mini éponge pour laver la vaisselle		
fiches «techniques»		
sacs de plastique		
corde pour suspendre la nourriture et toile abri, mousqueton[1]		

[1]Le même qui peut être utilisé pour attacher la gourde à la ceinture ou au sac à dos.

Équipement individuel

gourde d'un litre	150 g
gamelle + ustensiles	110 g
gobelet	200 g (isotherme et métallique)
canif	80 g (type suisse)

Poids total pour ensemble de cuisine de base : environ 2 kg + * = environ 2,6 kg

Le réchaud au naphte demeure le plus efficace au-dessous de zéro. Toujours isoler le réservoir d'essence de la neige pour un meilleur rendement. Au mont Groulx, en 1984, j'en étais à mes débuts comme guide pour l'agence européenne Grand Nord Grand Large.

L'utilisation d'un réchaud, certes moins romantique que le feu de bois, se révèle plus propre, plus rapide et beaucoup plus efficace dans certaines situations d'ordre écologique ou pratique et dans des conditions hivernales. Aujourd'hui la technologie offre des réchauds fiables, peu fragiles et très performants, pesant moins de 400 g (poids sans carburant). La qualité du réchaud doit primer sur toute autre considération. Le classement se fait selon le carburant utilisé. Sélectionnez celui qui répond le mieux à vos besoins. Généralement un seul réchaud suffit pour quatre personnes et deux réchauds s'imposent pour chaque groupe de six. La plupart des marques de réchaud offrent, pour quelques dollars, un ensemble de pièces et d'outils de réparation qui constitue un excellent investissement. Pour sauver de l'espace dans le sac à dos, transportez le réchaud dans une gamelle.

LE RÉCHAUD AU NAPHTE, en plus d'être compact, demeure toujours le plus efficace dans des conditions extrêmes de froid et d'altitude. Le naphte, très volatil, brûle mieux que tous les autres carburants liquides et laisse moins de résidus. Son utilisation sous pression exige une période de préchauffage et donne un rendement supérieur pour une cuisson rapide, peu importe la saison. Un litre d'eau arrive à ébullition en trois minutes et demie. La puissance d'un réchaud s'exprime en BTU (British Thermal Unit), quantité de chaleur nécessaire pour élever de trois degrés et demi la température d'un litre d'eau. À partir de 10 000 BTU, un degré de chaleur élevé est atteint rapidement. Certains modèles plus romantiques car moins bruyants offrent un ajustement en terme de chaleur, comparativement au modèle commun dont l'intensité de la flamme n'est pas réglable.

LE RÉCHAUD MULTI-CARBURANTS, qualifié de réchaud de dépannage, s'adapte à l'utilisation d'autres carburants que le naphte, soit au kérosène, à l'essence sans plomb ou au diesel. Un gicleur approprié s'ajoute pour permettre d'utiliser ces différents carburants. Les additifs qu'ils contiennent nuisent à la combustion dans les brûleurs des réchauds. Ils laissent beaucoup de résidus sous forme de poudre noirâtre dans le conduit à gaz et exigent des nettoyages fréquents. Le naphte, grâce à sa combustion complète et presque sans résidus, ne requiert qu'un nettoyage saisonnier. Ce type de réchaud, dit «tout terrain» à cause de sa stabilité au sol, convient particulièrement pour des aventures intercontinentales, car le naphte largement accessible en Amérique du Nord se trouve plus difficilement ailleurs, sauf en France où on l'appelle pétrole à brûler, essence blanche ou «essence C». Coûteux à l'achat, mais très économique à utiliser et permettant une grande autonomie, ce réchaud devient un excellent choix pour des séjours prolongés.

Certains trouvent le RÉCHAUD AU BUTANE plus facile à utiliser à cause de l'allumage instantané, une particularité non négligeable, et de la flamme parfaitement contrôlable. Toutefois le butane gèle à des températures au-desous de zéro, et si vous campez l'automne, ce réchaud n'offre pas la puissance exigée par le randonneur affamé. Sa fabrication répond aux besoins des campeurs occasionnels en saison estivale. Économique à l'achat, il est plus coûtcux à utiliser à cause de la bonbonne de butane. Toutefois, vendu en Europe sous forme d'iso-butane, ce dernier fonctionne en hiver et à haute altitude.

LE RÉCHAUD À L'ALCOOL, absolument silencieux, produit une flamme de si faible intensité et si peu visible qu'il est difficile de savoir s'il est allumé ou pas. Économique à l'achat mais avec un coût d'utilisation élevé à cause de sa grande consommation, ce réchaud non performant met dix minutes à faire bouillir un litre d'eau et convient peu aux sorties prolongées, surtout par temps frais ou froid. Il est vendu avec un ensemble très léger de gamelles en aluminium à l'extérieur et en acier inoxydable à l'intérieur; l'alcool méthylique ou éthylique est disponible par contre à la grandeur de la planète.

Cuisiner dans la tente : un danger !

L'utilisation du réchaud dans la tente, que ce soit pour se protéger des moustiques ou contre le froid, présente des dangers importants à cause du tissu très inflammable. Les résidus volatils de combustion, très toxiques, imposent de bien ventiler en cuisinant dans une tente ou même un refuge.

Petit secret

Afin d'assurer la stabilité du réchaud, apportez une planchette en bois antidérapante de 30 cm sur 30 cm, qui permet de damer le sable ou la neige et constitue une plate-forme solide. La bonbonne de carburant doit aussi reposer sur la plaque de bois, qui sert d'isolant en hiver. Le gaz se comprime ainsi un peu moins vite et les pompages requis s'espacent.

La quantité individuelle de carburant dépend de la saison et du nombre de personnes dans le groupe. En effet, faire bouillir deux litres d'eau pour quatre personnes demande légèrement moins de carburant qu'en faire bouillir trois litres pour six, et ce, dans les mêmes conditions. Pour connaître la quantité de carburant nécessaire par personne par jour de camping, j'ai extrapolé des données utilisées en expédition et des données fournies par les compagnies de fabrication.

Expéditions	Qté de carburant utilisée/jour/pers.
Cours de plein air UQAM- Équipe de quatre Canot-camping en autonomie au Parc de la Mauricie-automne	250 ml en prenant soin de l'économiser
Ellesmere 1992, les trois skieurs mangeaient double portion quand le prochain dépôt était proche.	300 ml réchaud utilisé MSR XGK-II
Borge Osland, solo au pôle Nord, 1994	Il avait emporté 250 ml, il a dépensé 220 ml avec un grand souci d'économie
Liv Arnesen, première femme au pôle Sud, janvier 1995	240 ml avec un grand souci d'économie 12 litres pour 50 jours
Spitzberg - Odile Dumais, avril 1995	sans souci d'économie 250 ml, équipe de six, réchaud utilisé MSR XGK-II
Weber-Malakhov - pôle Nord aller et retour, 1996	300 ml
Mont Logan 1996, neuf étudiants de l'Université Laval (Benoît Robitaille) 20 jours à plus de 4000 m, la température variait de 5 à −50 °C	180 ml

Calcul approximatif :

Une bouteille de naphte, soit 950 ml, brûle pendant environ 3 heures (180 minutes) à haute pression et le temps requis pour faire bouillir un litre d'eau est de 3,5 minutes en été et approximativement de 10 minutes en hiver en faisant fondre de la neige.

Besoins en été :

6 litres d'eau par jour par personne

durée du fonctionnement du réchaud : 3,5 minutes X 6 litres = 21 minutes

quantité de naphte requise : $\dfrac{21 \text{ min X } 950 \text{ ml}}{180 \text{ min}}$ = 110 ml = 0,11 l de naphte/ jour/personne

Besoins en hiver :

6 litres d'eau par jour par personne

durée du fonctionnement du réchaud : 10 minutes X 6 litres = 60 minutes

quantité de naphte requise : $\dfrac{60 \text{ min X } 950 \text{ ml}}{180 \text{ min}}$ = 316 ml = 0,31 l de naphte/ jour/personne

Quantités moyennes retenues : 110 ml/jour/pers. en été et 310 ml en hiver.

Note : ces données ne peuvent être considérées pour un séjour en altitude, car au delà de 1000 m, la durée de cuisson se prolonge puisque les réchauds perdent de leur efficacité.

Le transport du carburant et des accessoires

Le transport du carburant exige des précautions. La nourriture sèche, surtout les céréales, le riz et les pâtes, absorbe facilement les vapeurs d'essence. Les bouteilles de carburant doivent être placées dans un compartiment à part dans le sac à dos ou, encore mieux, celui qui transporte le carburant ne transporte pas de nourriture. Des bouteilles d'aluminium, de différents formats, avec joints d'étanchéité résistants conviennent particulièrement pour le transport en toute sécurité. Le bec verseur, plus pratique qu'un entonnoir, simplifie les transvasements. Les allumettes ainsi que la plaque abrasive se transportent dans un contenant étanche.

Aux alentour de 4000 m, la pression atmosphérique devient suffisamment basse pour avoir une influence sur l'expansion du naphte dans la bouteille. Il convient donc, par prudence, de ne faire le plein qu'aux trois quarts pour éviter une fuite de gaz. À ce propos, lors de leur première tentative québécoise de l'ascension du mont McKinley au printemps 1974, Léopold Nadeau et son équipe ont souffert de problèmes aigus de nausées et de digestion parce que la nourriture sèche avait

113

été imbibée de vapeur de naphte. Il faut dire qu'ils avaient partagé également le poids de la nourriture et du naphte dans chaque sac à dos. Tellement malades, ils rebroussèrent chemin à moins d'une journée du sommet, sachant que les 900 mètres de dénivelé restants ne posaient aucune difficulté technique !

Note : le transport par avion de carburants liquides ou de cartouches de gaz est interdit.

Équipement de base : gourde graduée, cuillère et bol en lexan, tasse isolante et chaudron en acier inoxydable entouré d'un diffuseur de chaleur; ce dernier fait économiser le carburant.

DIFFUSEUR DE CHALEUR ET PARAVENT

Ces pièces d'équipement maximisent la performance du réchaud et font économiser jusqu'à 25 % du carburant. Le diffuseur de chaleur, un modèle accordéon en cuivre, ajustable aux casseroles d'un maximum de 3 l, épouse le contour du réchaud et il est maintenu serré par un crochet à vissage. La chaleur pénètre dans chacune des alvéoles pour se diffuser partout autour de la casserole et l'eau bout uniformément. Le paravent, une feuille d'aluminium flexible d'un millimètre d'épaisseur, suffisamment haut, placé autour de la casserole et du réchaud, les protège du vent et concentre la flamme sous la casserole. Pour le transport, enroulé autour de la bouteille de carburant, il prend peu d'espace et dure plus longtemps que si on le plie après chaque utilisation.

CASSEROLES

La plus universelle des casseroles de base pour le camping est faite d'un revêtement d'aluminium à l'extérieur et d'acier inoxydable à l'intérieur. L'aluminium occupe le deuxième rang pour la conduction de la chaleur, après le cuivre. La version de luxe comprend donc un fond extérieur en cuivre, pour accélérer l'ébullition et économiser du carburant. Les chaudrons entièrement fabriqués

114

d'aluminium, très utilisés à cause de leur faible coût, offrent aussi plus de légèreté que l'acier, toutefois plus solide, durable et facile d'entretien. De plus, certains résultats d'études sérieuses relient leur utilisation à la maladie d'Alzheimer, qui serait causée par les résidus d'aluminium dans les aliments, résultat du processus d'oxydation. La communauté médicale admet cependant que l'utilisateur occasionnel n'a pas besoin de se préoccuper de ce propos. Ce métal bosselle facilement et les aliments collent rapidement aux fonds minces des casseroles, ce qui les rend difficiles à nettoyer. Il existe maintenant un recouvrement intérieur antiadhésif pour ce genre de casseroles. Les aliments n'y collent pas, le nettoyage devient facile, la distribution de chaleur est alors plus uniforme et l'aluminium ainsi traité ne s'oxyde pas au contact des aliments. Le recouvrement antiadhésif, fragile aux égratignures de couteau et de laine d'acier, exige une utilisation soigneuse. Les tampons en nylon ne rayent pas les surfaces métalliques. Il existe aussi des recouvrements noirs extérieurs, comme le laminage micro fonte Duossal, pour une meilleure absorption (une imitation du capteur de chaleur) et une distribution plus rapide de la chaleur.

Volume des casseroles

Une casserole avec couvercle bien ajusté d'une capacité d'un litre convient au voyageur solitaire, celle de deux litres est suffisante pour deux à trois personnes, et deux casseroles de trois litres ou une de quatre litres fera l'affaire pour six personnes.

Isolant à chaudron

Il s'agit d'une sorte de poche isolante (aussi appelée marmite norvégienne) de forme cylindrique adaptée à la taille de la casserole et qui contribue à l'économie de presque la moitié du carburant tout en conservant les aliments au chaud. Il suffit de préparer le repas en diminuant le temps d'ébullition de moitié, d'éteindre le réchaud et de placer la casserole dans cette poche. Le repas continuera à cuire avec la chaleur résiduelle bien conservée grâce à cet isolant. Pour réhydrater les aliments lyophilisés, il suffit de verser l'eau bouillante sur les ingrédients secs, déjà dans la casserole et celle-ci placée dans la poche isolante, de bien mélanger et d'attendre une vingtaine de minutes.

Poêle à frire

La plus pratique, légère et facile à nettoyer, est en aluminium avec une mince couche de recouvrement antiadhésif. Elle peut être irrémédiablement égratignée par un ustensile de métal. Il faut donc choisir des ustensiles en bois, plastique ou lexan. Le modèle muni d'un manche résistant à la chaleur et pliable offre l'avantage d'un rangement facile dans le sac à dos. Certains modèles sans poignée requièrent l'utilisation de la pince agrippante pour éviter les brûlures.

Spatule

En lexan ou en plastique, légèrement incurvée, à lame plate de 6 cm, la spatule convient parfaitement pour retourner les crêpes. Le plastique toutefois ne résiste pas à des températures hivernales.

Cuillère à mélanger

Faite en lexan ou en bois dur comme le merisier ou le hêtre, elle ne prend pas l'humidité ni les goûts et ne risque pas de se fissurer. Sert à mélanger les potages. Idéale pour remuer les préparations consistantes.

Fouet

En plastique à gros grains pour plus de solidité, pratique pour dissoudre les grumeaux dans les plats en sauce et les potages.

Tamis

Flexible, utile pour égoutter les pâtes, il sert aussi de grillage pour éviter de laisser les particules de nourriture et les résidus du lavage de vaisselle dans le trou spécifique de recueillement de l'eau sale. Ce trou de 15 cm de profond sera creusé à 50 m du cours d'eau potable.

Tasse

Graduée pour mesurer et pour faire le service, elle est pratique quand on veut séparer en portions égales.

Purification de l'eau

En camping sauvage, par mesure de sécurité et d'hygiène, les campeurs doivent porter une attention toute spéciale à l'approvisionnement en eau potable, surtout dans certaines régions. L'eau peut être contaminée par plusieurs micro-organismes tels les parasites, bactéries et virus ainsi que par des polluants chimiques, des matières organiques et des débris en suspension. La présence du parasite Giardia dans les cours d'eau montagneux, apporté

Dans la réserve faunique de La Vérendrye, je consomme l'eau sans la faire bouillir, en me méfiant tout de même des endroits où il y a des castors (porteurs de Giardia). Faites spécialement attention à l'environnement des cours d'eau que vous fréquentez et protégez-le en adoptant des comportements écologiques.

par les matières fécales des animaux et des humains, préoccupe particulièrement. Des symptômes de diarrhée sévère, nausées, refroidissements peuvent se révéler graves et entraîner de la faiblesse pendant quelques jours et jusqu'à quelques semaines. Les randonneurs doivent se montrer extrêmement prudents. Parfois les symptômes n'apparaissent qu'après une semaine de consommation. Traités par antibiotiques, ils disparaissent rapidement, mais sans traitement la diarrhée peut se prolonger et devenir sévère. La présence des virus inquiète aussi les aventuriers en pays sous-développés.

Tous les micro-organismes vivants, parasites, bactéries et virus, se trouvent détruits quand on fait bouillir l'eau 10 minutes (100 °C). Il s'agit de la méthode la plus sanitaire. En altitude, le point d'ébullition diminue. À partir de 1500 mètres, il faut ajouter une minute de plus au temps d'ébullition pour chaque dénivelé de 300 mètres. Pour améliorer le goût fade de l'eau bouillie, il faut la brasser pour l'oxygéner ou, encore, ajouter dans la gourde une pincée de sel et une pastille fondante de vitamine C ou de simples cristaux de différentes saveurs de fruits. Cette méthode d'assainissement de l'eau potable exige beaucoup de carburant. La filtration s'avère plus pratique mais non sans faille.

Dans les régions à risque, il faut filtrer l'eau à défaut de la faire bouillir. Les dernières recherches démontrent que la micro-filtration élimine tous les parasites mais peut laisser le champ libre à certaines bactéries et à certains virus. En plus, la membrane du filtre microscopiquement perforée se détériore rapidement. Comme le milieu humide favorise la prolifération des bactéries, un entretien strict s'impose. Brosser légèrement la membrane après chaque utilisation ou la stériliser une fois de retour à la maison, sinon le filtre s'infecte. Le bromure d'argent, bactéricide sous forme de cristaux saupoudrés sur la partie en céramique, limite la prolifération bactérienne, après le nettoyage, et agrandit encore la marge de sécurité. En théorie, les deux méthodes combinées de micro-filtration et de désinfection chimique assurent une désinfection complète. La double action du filtre de céramique et de la résine d'iode offre une grande protection. La céramique, très poreuse, emmagasine les contaminants, et l'iode, au contact de l'eau, s'active immédiatement. L'eau goûtera cependant l'iode. Un filtre au charbon activé, poreux comme la céramique et reconnu pour retenir les métaux lourds et les produits chimiques, en réduira sensiblement le goût.

Attention à la vaisselle lavée avec de l'eau non filtrée. La rincer avec de l'eau filtrée, sinon ce lavage peut causer de l'infection. La clef de la prévention consiste à filtrer même l'eau claire et apparemment propre. Il faut se méfier aussi de l'eau de glacier, même au delà de certaines latitudes où il n'est pas rare d'apercevoir des renards arctiques rôder autour du campement. En août, au Groenland, j'ai vu ces animaux déféquer sur le glacier adossé à notre cuisine. Si l'eau contient beaucoup de matières en suspension ou de sable, il vaut mieux les supprimer en la filtrant préalablement avec un filtre à café, un bandana ou un bas de nylon coupé en pièces; ces deux derniers, bien rincés, peuvent être réutilisés plusieurs fois. Cette opération évitera d'obstruer le filtre rapidement. La plupart des filtres peuvent traiter jusqu'à 2000 litres d'eau avant d'exiger un remplacement. Les filtres en céramique bien entretenus offrent par contre une autonomie dix fois plus grande.

Iode

L'utilisation de 8 mg d'iode par litre d'eau pendant 10 minutes en assure une désinfection complète. La dose et la durée doublent dans l'eau froide, puisque la réaction chimique se trouve ralentie. Pour enlever le goût trop prononcé de l'iode, des pastilles neutralisantes ajoutées 20 minutes après le traitement de l'eau agissent efficacement.

Afin de maîtriser l'étendue de la Giardia, les environnementalistes suggèrent d'enterrer les matières fécales des humains et des animaux domestiques à 20 cm de profondeur et à environ 50 m du cours d'eau.

Note : en cas de malaises intestinaux ou en prévention de la diarrhée, l'ingestion de charbon végétal activé, que l'on trouve dans les magasins de produits santé, aide à combattre l'inconfort causé par les gaz et les bactéries.

GRILLE À RÔTIES

Elle est articulée à une extrémité et munie d'un clip à l'autre pour pouvoir s'ouvrir à plat et maintenir solidement les aliments quand on la retourne. Utiliser pour faire griller pain, galettes ou poissons. Les deux côtés se rabattent et le long manche rétractable en facilite le rangement.

Équipement individuel

GAMELLE

Choisir un bol de 500 ml parce que cela correspond souvent au volume d'une portion du plat principal en camping. Opter pour un bol en plastique épais et solide. Une assiette laisse échapper la chaleur trop rapidement par sa grande surface, mais une tasse isolante peut toujours faire l'affaire. J'ai un faible pour les bols en plastique. Mon préféré : un bol isotherme (type bol à chien) de couleur vert écolo pesant 100 grammes, qui voyage depuis douze ans en été comme en hiver, en Arctique et dans la jungle. Il se comporte toujours avec classe malgré de rudes utilisations. Voici les critères qui m'ont fait pencher vers la haute technologie alimentaire de ce type de bol : très flexible, sans anse, il se place et s'empile facilement dans le sac à dos, surtout si vous transportez tous ceux du groupe. Il peut supporter la compression sans se briser et surtout il conserve la température des aliments, et ce, même s'il est déposé sur la neige. Le tour extérieur du bol, légèrement plus haut, empêche le fond de toucher le sol et crée une zone d'isolation. Génial pour manger chaud jusqu'à la dernière bouchée ! La prise avec la main, très confortable et pratique, permet d'utiliser le bol avec des mitaines en camping d'hiver. De forme conique et stable à cause de sa base plus large, il a en outre un fond doucement arrondi qui permet à la cuillère de le nettoyer entièrement en époussant son contour. On le nettoie vite et facilement en le pressant à l'envers sur la neige, comme pour marquer l'empreinte, puis en tournant. De plus il ne présente aucun des inconvénients d'une gamelle métallique conductrice avec laquelle, à -20 °C, la première bouchée est trop chaude et la deuxième est déjà trop froide.

La gamelle au fini émail, un peu plus lourde qu'en aluminium ou en acier, s'effrite facilement, s'écaille et laisse des marques de rouille. Ces morceaux d'émail, coupants comme du verre et donc dangereux si on les avale, constituent un inconvénient majeur. Des modèles plus sécuritaires possèdent une bordure en acier inoxydable pour éviter les éclats. La gamelle en mélamine imite le plastique, avec les mêmes avantages et inconvénients.

Gobelet

Prévoir un verre à mesurer (facultatif avec une gourde graduée) ou une tasse isolante. Cette dernière, avec son anse, peut servir de louche.

Gourde

Différents formats et différentes formes se trouvent sur le marché. La gourde d'été est munie d'un goulot plus fin par rapport à celle qui convient pour les sorties hivernales. Un large goulot permet de casser plus facilement le glaçon à la surface. La bouteille en lexan plutôt qu'en polyéthylène résiste mieux à la fois au froid, au chaud ainsi qu'à l'usure normale. Le lexan, moins poreux, se nettoie plus facilement que le polyéthylène qui prend vite la couleur du jus et laisse un arrière-goût de plastique à la boisson. La gourde graduée remplacera la tasse à mesurer pour doser l'eau au moment de réhydrater les plats.

Ustensiles et couverts en lexan

Matériau léger, résistant, robuste et de haute performance pour le plein air, le lexan offre l'avantage de ne pas conduire la chaleur et donc de supporter les températures d'ébullition et de glace. Une cuillère peut très bien suffire s'il faut absolument sauver du poids. Le métal égratigne en plus les gamelles.

Canif

Complément indispensable des ustensiles, le canif à lame en acier inoxydable à haute teneur en carbone résiste à l'eau, aux acides et au sel. Éviter les lames en acier avec peu de carbone, qui s'affûtent bien, mais rouillent et se tachent malheureusement. Si le manche en bois isole de la chaleur et du froid, le plastique demeure imperméable à l'humidité. Il se vend toutefois certains manches de bois imprégnés de matière plastique qui bouche les pores et rend le bois résistant à l'humidité. Le canif multi-usages peut être très pratique, quand il se transforme en tournevis ou pince ou ciseau.

À éviter : les ustensiles tous attachés ensemble... essayez donc d'utiliser la fourchette en même temps que vous avez besoin du couteau quand ils se trouvent reliés au même manche ! ! !

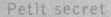

Petit secret

En groupe, afin de reconnaître vos gamelles et ustensiles, marquez-les en utilisant de l'encre indélébile ou un petit ruban adhésif.

Cuisiner au-dessous de zéro

Cuisiner sur de la glace ou de la neige peut être agréable et facile mais à l'abri du vent. La source d'eau se trouve directement à côté du réchaud, d'abord sous forme de neige dont il faudra refaire à plusieurs reprises le plein de la gamelle avant d'obtenir une quantité d'eau suffisante pour cuisiner. Cette étape de fonte de la neige demande beaucoup de temps et devrait toujours débuter par l'ajout d'eau conservée dans un thermos. L'autre solution consiste, après le repas du soir, à faire fondre de la neige jusqu'à l'obtention d'une gamelle pleine et à oublier le tout pour la nuit. Le lendemain matin, la glace dans la gamelle prendra moins de temps à redevenir liquide que si vous aviez à refaire l'opération avec de la neige. Attention : cette solution vous fera épargner beaucoup de temps le matin, mais en contrepartie elle demande un peu plus de carburant, puisque la même quantité d'eau aura été chauffée deux fois.

> tente-cuisine (facultatif mais améliore la cuisine en camping d'hiver)
> chaudron spécifique : autocuiseur
> allumettes plutôt que briquet
> gamelle isolante (bol de plastique épais à double paroi)
> poche isolante pour gourde d'un litre
> des bouteilles thermos incassables garderont vos liquides chauds très longtemps.

Petit secret de Jeff Thuot,

grand spécialiste de canot d'eau vive et de ski de randonnée : utilisez plutôt la neige sous la croûte plus près du sol. Elle aura eu le temps de se transformer en cristaux et fondra plus rapidement en donnant une plus grande quantité d'eau, ce qui économisera le carburant. Lorsque la neige n'est pas granuleuse, sa fusion produit beaucoup moins de liquide et exige plus de chaleur.

Autocuiseur

Un autocuiseur ou marmite à pression, malgré son poids, fera économiser du carburant et beaucoup de temps puisque les aliments cuisent plus rapidement sous pression. Une fois les aliments déshydratés ou lyophilisés versés dans l'eau bouillante, refermer le couvercle, éteindre le réchaud et attendre une dizaine de minutes pour une réhydratation complète. Dans cette marmite fermée hermétiquement, les aliments demeurent très chauds même après plusieurs minutes d'attente.

Cuisiner en altitude

À la pression atmosphérique normale, l'eau bout toujours à 100 °C. Une fois cette température atteinte, il suffit de régler la source de chaleur au minimum pour maintenir cette ébullition sans que la vaporisation de l'eau devienne trop rapide. Le fait de couvrir la casserole ralentit la vaporisation et économise ainsi l'eau et le carburant. Par contre en haute altitude, la pression atmosphérique, plus basse, abaisse la température d'ébullition et allonge la durée de cuisson. L'air très sec accélère la vaporisation de l'eau et l'utilisation du couvercle y devient donc plus importante.

Utilisation des autocuiseurs

Quand la pression, due à la vapeur dans le chaudron, devient plus élevée que la pression atmosphérique, la température d'ébullition s'élève. La température à l'intérieur de l'autocuiseur varie de 100 °C à 120 °C et la durée de cuisson diminue parce que la température se maintient facilement dans ce vase clos. Non seulement la perte d'éléments nutritifs, causée par la durée d'exposition à la chaleur, se trouve minimisée, mais ce phénomène entraîne une économie de carburant et surtout de temps, très appréciable quand il fait froid et que la faim tenaille.

En altitude, la pression atmosphérique plus basse exige moins d'énergie pour provoquer l'évaporation de l'eau. La diminution de la pression atmosphérique abaisse le point d'ébullition et les aliments ne sont pas aussi chauds qu'à basse altitude. À 3000 m l'eau bout à 90 °C, à 5000 m elle bout à 84 °C et à 7000 m seulement à 80 °C. Le temps de cuisson augmente donc. Il faut le doubler pour chaque diminution de 5 °C de la température d'ébullition. L'utilisation de l'autocuiseur vient solutionner ce problème. En tant que vase clos, il reconstitue presque les conditions de cuisson du niveau de la mer. Avec l'autocuiseur en altitude, les temps de cuisson recommandés au niveau de la mer augmentent de 5 % pour chaque élévation de 300 m à partir de 900 m d'altitude.

Il faut choisir de préférence un autocuiseur qui contient deux fois le volume d'eau nécessaire pour réhydrater les repas du groupe. Se conformer aux instructions du manufacturier pour une utilisation sécuritaire. Le danger survient pour la cuisson des légumineuses, du riz et de certaines petites pâtes quand le temps de cuisson se prolonge. Pour diminuer rapidement la pression, verser de l'eau froide sur le couvercle ou, en hiver, poser simplement la marmite dans la neige.

Petit secret d'Abraham,

un Inuit de Clyde River, bien connu de tous les touristes du coin : pour faire fondre de la neige, il suffit de la compresser fortement afin qu'elle se tasse bien jusqu'au fond de la casserole, puis de percer des trous à travers cette neige pour l'aérer, à l'aide du manche d'un ustensile, ce qui améliorera le goût de l'eau.

En camping d'hiver, l'approvisionnement en eau demeure l'activité principale de la soirée. Utilisez la neige sous la croûte plus près du sol et, si vous avez un restant d'eau dans le thermos, videz-le sur cette neige durcie, ce qui en accélérera la fonte.

123

Par mesure de sécurité, laissez toute la nourriture hors de la tente et même la pâte dentifrice à saveur de menthe. Les parcs nationaux et provinciaux offrent des structures favorisant la sécurité des campeurs.

La cuisson des pâtes cause des problèmes de texture. À 6000 m l'eau bout à environ 82 °C. À cette température de cuisson, les pâtes collent parce que l'eau n'est pas assez chaude. Impossible de les cuire *al dente*. Le couscous, les pommes de terre instantanées ou les plats de pâtes lyophilisées s'apprêtent plus facilement dans ces conditions. En général, utilisés en basse altitude, les aliments lyophilisés ne nécessitent aucune cuisson et se réhydratent par trempage seulement. Toutefois, lors de l'ascension en 1997 de l'Ama Dablam (6856 m), Jean-Pierre Danvoye et ses compagnons ont constaté que pour une réhydratation complète des plats lyophilisés au-dessus de 5200 m, ils devaient les faire mijoter.

Protection du site de camping contre les animaux

Les animaux, en général, ont l'olfaction beaucoup plus développée que l'humain. Ce dernier arrive à percevoir les odeurs à 3 m tandis que l'ours, particulièrement l'ours polaire, arrive à sentir à 3 km, avec un vent dans sa direction. Par mesure de sécurité, laisser toute la nourriture hors de la tente et même la pâte dentifrice à saveur de menthe ! Pour être encore plus sévère, même pas de photos de bouffe dans la tente ! ! ! La suspendre dans un sac fourre-tout à une distance de 2,5 m du sol et à 1,5 m du tronc de l'arbre. Afin d'éliminer les odeurs, laver la vaisselle aussitôt le repas terminé, ranger tout l'équipement de cuisine, brûler tous les déchets consumables et chauffer les boîtes de conserve vidées et les sacs en papier d'aluminium, puis les compresser et les rapporter dans le sac à dos. L'enfouissement des déchets alimentaires dans le sol modifie le comportement des animaux qui peuvent en venir à se fier à l'humain pour les nourrir. Si le passage de l'homme à cet endroit est irrégulier, l'animal, du fait qu'il est devenu paresseux dans sa quête de nourriture, risque de ne pas manger à sa faim. Ours, ratons laveurs,

124

renards, martres, écureuils, tamias rayés, mulots causent le plus souvent ce genre de problèmes. En canot, le fait d'utiliser un baril comme garde-manger emprisonne les odeurs et diminue les risques de visites importunes. En hiver, les odeurs diminuent en nombre et en intensité.

Si vous voyagez au pays des ours noirs, grizzlys ou polaires, tous les déchets doivent être brûlés chaque soir et après le déjeuner. Reste ensuite à se protéger. Comment? Personnellement, j'observe les recommandations du parc national s'il y a lieu et je me dis intérieurement «Inch Allah».

5 Quand l'eau
pèse lourd

Techniques de déshydratation des aliments

De nos jours, les aliments déshydratés et lyophilisés présentent les grands avantages d'occuper peu d'espace, d'avoir un faible poids et de se conserver longtemps en excursion ou en expédition. Une grande variété de produits séchés, déshydratés et lyophilisés se trouvent sur le marché et certaines techniques comme le séchage solaire et la déshydratation au four peuvent être pratiquées à la maison.

Séchage solaire

Le séchage par exposition au soleil, un des modes de conservation les plus anciens, consiste simplement à déposer les aliments sur des treillis inclinés vers le soleil et recouverts d'une étamine pour les protéger contre les insectes, les oiseaux et la poussière et ainsi éviter la contamination. Une pellicule de plastique ou de verre en remplacement de l'étamine intensifie les rayons solaires, diminue la durée de séchage et réduit par le fait même les pertes de saveur et de valeur nutritive. Choisir des treillis de bois franc ou d'acier inoxydable. Éviter les treillis de fibre de verre, plastique ou autre métal que l'acier inoxydable, car la détérioration peut provoquer le dépôt de particules ou de composés sur les aliments.

Dans la baie d'Ungava, les Inuits profitent des meilleurs jours d'ensoleillement, en juin et juillet, pour sécher le caribou et la morue. Les lambeaux de viande et de poisson sont accrochés suffisamment haut pour décourager le renard.

Cette méthode, la plus simple et la plus économique aux points de vue matériel et énergie consommée, demeure toutefois un procédé lent. Il faut exposer les aliments en moyenne pendant trois jours consécutifs sous un soleil ardent, par un temps sec et un vent léger pour assurer la circulation de l'air. Il faut de plus les rentrer chaque soir pour éviter de les soumettre à la baisse de température nocturne et à la

< La paella, un des meilleurs plats réalisé avec des fruits de mer et du poisson déshydratés, offre une importante valeur nutritive, surtout en protéines et minéraux. (Voir la recette à la page 189)

rosée matinale. Cette exposition prolongée aboutit généralement à une destruction complète de la vitamine C, à une forte perte de thiamine et à une faible perte de carotène et d'autres vitamines, avec altération occasionnelle de la qualité nutritive des protéines. De plus, les aliments gras peuvent rancir (l'oxygène oxyde les gras). Le séchage dans un four ou à l'aide d'un déshydrateur s'avère moins destructeur pour les éléments nutritifs et surtout plus pratique et rapide !

Le déshydrateur domestique commercial, composé de plusieurs plateaux amovibles, permet de déshydrater différents aliments à la fois. Photo : Micheline Fortin

Déshydratation à chaud

Le procédé de séchage à chaud permet l'évaporation de l'eau contenue dans les aliments, qui se conservent ainsi beaucoup plus longtemps sans détérioration par les micro-organismes. Les aliments perdent jusqu'à 98 % de leur eau, ce qui réduit leur poids et leur volume au minimum.

Équipement

Déshydrateur

Un four conventionnel ou à convection de cuisinière électrique, un four de cuisinière à gaz, un déshydrateur domestique commercial ou un séchoir artisanal à plateaux avec circulation d'air sec accéléré par un ventilateur peuvent convenir. Assurez-vous que la source de chaleur du déshydrateur peut atteindre 65 °C (150 °F). Le four à convection de la cuisinière électrique donne de bons résultats, car il offre une excellente circulation d'air. Le ventilateur situé au fond du four chasse efficacement l'humidité. Le temps de séchage diminue et les aliments se déshydratent plus uniformément. Il coûte un peu plus cher en énergie mais, à moins d'envisager une production industrielle, la note d'électricité demeure sensiblement la même. En général, pour un débutant, tous les fours peuvent offrir un bon rendement. Le four à gaz, bien que difficile à maintenir à la température de déshydratation, entre 55 °C (130 °F) et 65 °C (150 °F), est le plus économique.

Bloc de bois de 2 cm³

Placé dans l'ouverture de la porte du four, il crée une fente étroite permettant à la vapeur d'eau de s'échapper. Si la porte du four demeure complètement fermée pendant la déshydratation, l'atmosphère est rapidement saturée d'humidité et le temps de déshydratation s'allonge considérablement, pouvant presque atteindre le double.

Plateaux métalliques ou en verre

Des plateaux ou tôles à biscuits endommagés ou trop égratignés pour une utilisation régulière conviennent parfaitement.

Pellicule de plastique alimentaire

De type Saran, la pellicule de plastique sert à recouvrir les plaques, plateaux ou lèchefrites en métal avant d'y déposer les aliments pour empêcher tout contact avec l'aluminium et éviter l'oxydation du métal et l'altération du produit fini. Le goût de l'aliment et la santé se trouvent ainsi protégés. L'utilisation d'une lèchefrite en pyrex ne requiert pas ce genre de précaution. La pellicule de plastique supporte la chaleur jusqu'à environ 70 °C (160 °F); au delà de cette limite, elle ratatine sous les aliments qui entrent alors en contact avec le métal.

Spatule et cuillère de plastique

Hygiéniquement parlant, il est préférable d'utiliser du plastique plutôt que du bois. Le bois, poreux, facilite la prolifération de bactéries et pour cette raison les ustensiles de plastique s'avèrent plus hygiéniques. Utiles pour remuer les aliments en voie de déshydratation et uniformiser ainsi le séchage.

Robot ou mélangeur électrique

Pour réduire les aliments en grains, en tranches ou en lanières, avant de les déshydrater.

Casserole et passoire

Pour le blanchiment des légumes.

Par beau temps, le déhydrateur placé dehors permet une déhydratation efficace, car l'air chargé d'humidité est expulsé à l'extérieur plutôt que dans la maison. Au début des années 80, un ami, Pierre Archambault, m'a fabriqué ce déhydrateur très performant, me permettant de réaliser de nombreuses expériences et ainsi de composer des menus gastronomiques pour différentes expéditions.

Thermomètre

Placé à l'intérieur du four, il permet le maintien constant de la température.

Balance

Pour peser les aliments avant et après le séchage afin de déterminer la quantité d'eau à rajouter lors de la réhydratation, soit l'équivalent du poids perdu.

Sacs de plastique, attaches et crayon indélébile

Pour emballer et identifier les aliments séchés.

Scelleuse

Petit appareil économique pour l'emballage sous vide.

Méthode

Séchage

La même technique s'applique pour tous les aliments. Déposer les produits à déshydrater sur une plaque métallique recouverte d'une pellicule de plastique. Ne pas surcharger la plaque et laisser un espace entre chaque morceau pour permettre une circulation d'air. Étendre les produits en sauce en une couche mince et uniforme d'environ 1 cm d'épaisseur et déposer la plaque sur la grille du four. Toutes les grilles du four peuvent être utilisées à la fois. Attention à ne pas déshydrater des aliments à saveur forte comme le poisson en même temps que des fruits, ils pourraient en prendre le goût.

On obtient les meilleurs résultats avec les aliments soumis à une température faible de 55 °C (130 °F) à 65 °C (150 °F) et à un air sec qui peut circuler. Plusieurs sources suggèrent, et avec raison, 65 °C (150 °F) pour la première heure et 55 °C (130 °F) par la suite jusqu'à ce que les aliments deviennent secs. Cette indication accélère le temps de séchage et permet d'inactiver les micro-organismes responsables de la détérioration des aliments dès le début de la période de séchage. Attention; ne pas dépasser 65 °C (150 °F) une déshydratation trop rapide par élévation de la température risque de provoquer

132

une croûte de surface pour certaines denrées. Il en résulte un produit encore humide à l'intérieur et donc périssable. Rechercher un séchage à allure constante pour que la surface des aliments demeure tendre et permette à l'eau de s'évaporer. Pour certains produits en sauce (Chili, purée de fruits, sauce à spaghetti), maintenir par contre les deux premières heures de déshydratation à 65 °C (150 °F) pour diminuer à 55 °C (130 °F) durant le reste du temps afin d'accélérer l'évaporation de la grande quantité d'eau. À une température au-dessus de 70 °C (160 °F), la pellicule de plastique se rétracte, ce qui entraîne un contact de l'aliment avec l'aluminium, et en plus elle durcit à la surface. Pendant la période de séchage, on doit retourner les aliments pour assurer une déshydratation uniforme. Cette tâche doit être réalisée à l'aide de gants de caoutchouc, d'une pince ou d'une cuillère en plastique ou en acier inoxydable. Tant qu'il restera de l'eau dans les aliments, le développement de bactéries peut se produire.

Durée du séchage et apparence du produit sec

La durée de déshydratation varie suivant la nature, la forme et l'épaisseur de l'aliment, l'humidité de l'air ambiant, la pression atmosphérique, les conditions climatiques du jour, ainsi que la température et la circulation d'air dans l'appareil. Les belles journées sèches et ensoleillées de l'été et de l'automne représentent un temps idéal pour une déshydratation efficace. La nuit par ailleurs permet une économie de temps pour les aliments dont la durée de séchage atteint huit heures et plus. Je suis subtilement en train de vous dire que malgré les indications de différents auteurs et tableaux, il n'existe pas de données précises sur la durée de déshydratation. Mon échelle d'expérience varie de 1 heure pour les

Les champignons tranchés se déshydratent beaucoup plus rapidement que les champignons entiers. Pendant la période de déshydratation, vous devez retourner les aliments afin d'assurer une déshydratation uniforme.

herbes à 36 heures pour le gâteau aux fruits. La durée de séchage varie donc très largement : 1 heure pour des tranches de pain d'épices, 2 heures pour des petites crevettes ou des grains de bœuf ou de poulet, jusqu'à 8 ou 12 heures environ pour de la sauce à spaghetti, le Chili ou encore 24 heures

133

pour la pâte de fruits. J'ai déjà mis 36 heures pour des tomates fraîchement cueillies de mon potager. Il faut dire que, cette journée-là, l'humidité relative était de 60 % en région et que mes tomates étaient grosses et bien juteuses, cueillies la veille, tout juste au début de septembre.

Le plus grand mérite de celui qui pratique la déshydratation réside dans son aptitude à mesurer le «degré de séchage» en se basant sur certaines indications, dont la pression du doigt et la texture, en général cassante, de l'aliment déshydraté. Dans le cas des fruits, la texture obtenue ressemble plutôt à du cuir très caoutchouteux, pliable, qui ne colle pas, à l'exception des raisins dont la teneur en sucre est très élevée et qui demeurent donc très collants. Quant à la purée de fruits, qui devient de la pâte de fruits, elle prend aussi une consistance de cuir caoutchouteux mais se détache facilement en un seul morceau de la pellicule de plastique. La sauce à spaghetti, en une seule pièce, se déchiquette comme une feuille de papier. Les légumes prennent en général une texture cassante. Certains, comme les épinards, s'effritent facilement, d'autres, comme les pois verts, deviennent très durs, tandis que les tomates restent pliables et un peu caoutchouteuses. La couleur devient plus foncée que celle du produit frais et la saveur plus prononcée.

Réduire les fraises fraîches en purée. Ajouter du jus de citron et un peu de sucre (vous pouvez aussi omettre le sucre). Déshydrater cette purée pour obtenir du « leather fruit », un genre de pellicule de cuir caoutchouteux.

Tableau 5-A. Problèmes et solutions

Problèmes	Causes éventuelles	Solutions appropriées
odeur de rancissement	présence de gras dans l'aliment	Bien dégraisser les aliments avant de les déshydrater et les empaqueter sous vide.
aliment sans saveur	durée d'entreposage trop longue ou, si l'aliment est entreposé dans de mauvaises conditions, il perd progressivement sa saveur	Les aliments déshydratés peuvent se conserver de plusieurs mois à deux ans environ. Respecter les conditions d'emballage.
aliment qui moisit	il reste un % d'eau trop élevé dans l'aliment	Bien vérifier la texture de l'aliment à la fin de la déshydratation. S'il est encore un peu humide, prolonger le temps de déshydratation ou conserver l'aliment au réfrigérateur et l'utiliser au cours des semaines suivantes.
aliment trop sec	la durée de séchage a été dépassée	Peut quand même être consommé, mais le temps de réhydratation sera prolongé et la valeur nutritive est davantage affectée.

Durée de conservation

Les aliments déshydratés peuvent se conserver pendant une longue période à cause de l'absence de micro-organismes. Les bactéries, levures et moisissures ne survivent que dans un environnement favorable, c'est-à-dire à une température entre 4 et 60 °C, dans un milieu nutritif, en présence d'eau, avec ou sans air.

Recommandations pour des aliments sécuritaires :

> Se laver les mains avant toute manipulation des aliments.

> S'il y a lésion aux mains, couvrir la lésion ou porter des gants appropriés.

> Conserver les produits de la viande, volaille, poissons et fruits de mer au réfrigérateur jusqu'à utilisation. Lors de la réhydratation, s'assurer de faire mijoter les aliments pendant au moins 10 minutes.

> En ouvrant l'emballage, si vous découvrez une mauvaise odeur ou un goût répugnant, éliminez ces produits.

Qualité des produits déshydratés et conséquences sur leurs propriétés organoleptiques (apparence, odeur, texture et saveur)

Plusieurs changements chimiques et physiques peuvent survenir pendant le processus de déshydratation, mais on peut les contrôler et les minimiser en suivant toutes les étapes précisément. Le soin et l'attention portés à la préparation des aliments déterminent la qualité du produit séché et réhydraté. Après tout le processus, la couleur, le goût et l'odeur doivent s'approcher le plus possible de ceux des produits frais. On peut observer une perte partielle de certains arômes, vitamines et pigments. La diminution de volume liée à la déshydratation provoque des déformations ou des affaissements, moins intenses avec une température initiale élevée [65 °C (150 °F)] de séchage. Certains aliments soumis au séchage brunissent parfois, particulièrement la viande et les produits à base de viande, les fruits et certains légumes. Cette réaction normale s'atténue avec un emballage opaque et un entreposage à l'abri de la lumière.

Choix et préparation des aliments

Fruits et légumes

Choisir les fruits et les légumes de la meilleure qualité, à maturité complète et en parfaite condition. Les laver soigneusement et les préparer rapidement afin qu'ils ne perdent ni couleur, ni saveur, ni valeur nutritive.

136

Tableau 5-B. Préparation des fruits et des légumes

en tranches régulières de 3 à 5 mm	courgettes, pommes de terre, champignons, bananes, pommes et pêches
en dés de 7 mm de côté	céleri, haricots, poivrons et oignons
en tiges fines	brocoli et chou-fleur
en grains	maïs
en demies	abricots, poires et tomates
râpés	carottes, céleri-rave
en purée	les fruits : pommes, fraises, framboises... les légumes : épinards seulement
entiers	les autres fruits et légumes, par exemple : petits pois, canneberges et raisins

TRAITEMENT PRÉ-SÉCHAGE DES LÉGUMES

Le blanchiment s'impose comme traitement de pré-séchage pour tous les légumes, à l'exception de l'oignon, des tomates, poivrons, champignons et du maïs, afin de détruire les micro-organismes responsables de la détérioration des aliments frais. Ce procédé améliore la qualité du produit déshydraté et facilite la réhydratation. La durée varie suivant le légume. À l'aide d'une passoire, plonger l'aliment deux minutes dans l'eau bouillante salée. Une partie des éléments nutritifs solubles dans l'eau disparaît inévitablement avec l'eau de blanchiment.

Le blanchiment s'impose comme traitement de pré-séchage pour tous les légumes, à l'exception de l'oignon, des tomates, des poivrons, des champignons et du maïs, afin de détruire les micro-organismes responsables de la détérioration des aliments frais.

137

Il faut traiter les pommes pour éviter leur brunissement. Plonger les tranches de pomme dans du jus de citron pur, fraîchement pressé, pendant une minute, puis égoutter et déshydrater immédiatement.

Le blanchiment peut aussi se faire à la vapeur dans une casserole avec couvercle, mais il faut alors doubler le temps d'exposition à la chaleur. Plonger ensuite les légumes dans un bain d'eau froide pour arrêter le blanchiment, puis égoutter. Les fruits ne nécessitent pas de blanchiment, car leur teneur en sucre et leur acidité assurent leur conservation à la température de la pièce.

Avant de procéder à la déshydratation, vous pouvez sulfurer certains fruits et légumes pour éviter leur brunissement, qui altère la saveur et détruit les vitamines A et C. Ce procédé consiste à asperger les morceaux d'aliments avec du bisulfite de sodium, acheté dans les boutiques spécialisées pour la fabrication du vin. Additif alimentaire sans nocivité, il ne laisse aucun arrière-goût de soufre au produit traité. Il suffit d'arroser l'aliment avec une solution constituée de 3 c. à soupe de bisulfite dans 4 litres d'eau froide pendant quelques minutes. L'action du soufre prévient le développement des moisissures et prolonge la durée de conservation du produit. En remplacement de cet additif, le jus de citron, toutefois un peu moins efficace, peut inhiber la réaction des tanins de certains fruits responsables du brunissement et de ses conséquences. Plonger les fruits dans du jus de citron pur, fraîchement pressé, pendant 1 minute, puis égoutter et déshydrater immédiatement.

Tableau 5-C. Durée moyenne de la période de séchage dans un four conventionnel de cuisinière électrique; cette durée peut diminuer si vous utilisez un four à convection ou un déshydrateur.

Fruits

Fruit	blanchi	pelé	trempé	entier	tranché	en quartiers	en dés	râpé	en grains	en tiges	en demies	en purée
abricot			x								18 h	24 h
ananas		x					20 h					24 h
banane		x	x		10 h	8 h						
bleuet				16 h								20 h
canneberge				16 h								
citrouille			x									24 h
fraise			x		24 h							24 h
framboise			x	14 h								18 h
noix coco								8 h				
papaye	1 min	x	x		20 h		20 h					24 h
pêche	1 min	x	x		20 h							24 h
poire		x	x		20 h							20 h
pomme			x		12 h		12 h					14 h
rhubarbe	2 min						8 h					16 h
zeste								3 h				

ABRICOT : placer la partie coupée vers le haut afin de retenir le jus et le sucre naturel. Le jus monte à la surface durant la première étape de la déshydratation. Retourner les fruits quand le jus ne s'en égoutte plus.

BANANE : pour obtenir des croustilles, continuer le séchage jusqu'à ce que les tranches deviennent cassantes.

BLEUETS ET CANNEBERGES : les piquer à l'aide d'une fourchette pour faciliter l'évaporation de l'eau à travers leur pelure épaisse.

139

PURÉE DE FRUITS : pour la préparation en purée, réduire les fruits frais en purée à l'aide d'un robot (sans ajouter d'eau). Ajouter le jus d'un citron par kilo de purée de fruits pour préserver la couleur et peu ou pas de sucre, au goût. Différentes purées de fruits peuvent être mélangées selon plusieurs combinaisons délicieuses. Le mélange de pommes verte et fraises est délicieux. Déposer la purée sur une plaque en une couche mince et uniforme. Après déshydratation, la pâte de fruits ou «leather fruit» se détache bien de la pellicule; aussitôt sortie du four, la rouler bien serrée et l'entreposer dans un sac de plastique ou dans un contenant étanche.

JUS CONCENTRÉ : ne se déshydrate pas à cause de sa trop forte teneur en sucre. Il demeure collant et pâteux, sans consistance.

Légumes

Légume	blanchi	pelé	trempé	entier	tranché	en quartiers	en dés	râpé	en grains	en tiges	en demies	en purée
brocoli	2 min									6 h		
carotte	2 min	x			7 h		7 h	4 h				
champignon				16 h	8 h	12 h						
chou	1 min				6 h			4 h				
choux de Bruxelles	2 min										10 h	
chou-fleur	3 min									6 h		
courge	5 min	x	x		6 h		6 h	4 h				
courgette	1 min				10 h		10 h	7 h				
épinards	1 min		6 h									10 h
haricot	3 min						8 h				8 h	
herbes										2 h		
maïs	5 min								12 h			
oignon		x			8 h		8 h					
pommes de terre	4 min	x	x		10 h							
pois vert	2 min		8 h									
poivron					8 h		8 h					
tomate											24 h	

140

COURGE : le blanchiment à la vapeur convient particulièrement parce que ce légume contient déjà beaucoup d'eau.

ÉPINARDS : les déshydrater entiers ou en purée, les blanchir à la vapeur pendant 1 minute ou jusqu'à ce que les feuilles ramollissent. Même principe pour le séchage des fines herbes, à l'exception du basilic qui perd toute sa saveur en séchant. Il se mange plutôt frais ou congelé en pesto.

TOMATES : Pour faire sécher les tomates au four, les couper en deux dans le sens de la longueur. Avec l'index ou à l'aide d'une petite cuillère, les vider d'environ la moitié de leurs pépins et de leur jus. Les aplatir légèrement avec la paume de la main. Les saler des deux côtés et les placer sur la plaque, face coupée vers le haut.

Les épinards se déshydratent sous la forme de purée et aussi comme les fines herbes, entiers après avoir été blanchis.

Au moment de les consommer, couvrir les fruits et les légumes d'eau chaude ou froide. Attendre qu'ils aient repris leur volume initial d'aliments frais. Égoutter l'eau non absorbée. Les légumes peuvent être réhydratés à la vapeur, dans l'eau bouillante, incorporés à un plat de résistance en sauce, et les fruits peuvent être réhydratés dans un jus de fruit.

Viande cuite : bœuf, veau, volaille

Choisir de la viande extra maigre. Enlever tout le gras visible. Faire cuire la viande en prenant soin d'assaisonner avec les herbes, épices et condiments favoris sans ajouter de matière grasse. En plus d'être plus savoureuse, une viande bien épicée est moins sujette au développement des bactéries. Le gras ne se déshydrate pas et demeure intact. Pendant l'entreposage de l'aliment sec, après quelques heures à quelques jours, le gras rancit (réaction avec l'oxygène de l'air qui, en dégradant les gras, provoque un mauvais goût et une odeur désagréable du produit déshydraté). Le gras ranci, consommé en quantité, peut occasionner des troubles de digestion et des malaises d'estomac, d'où l'importance d'enlever toute trace de gras.

Après cuisson, enlever de nouveau le gras visible s'il y a lieu. Passer la viande ou la volaille bien cuite au hachoir pour donner un produit en grains. Déposer ces derniers sur une plaque recouverte d'une pellicule de plastique et la placer sur la grille dans le four. Les trois grilles, inférieure, centrale et supérieure, peuvent être utilisées en même temps. Même rempli à pleine capacité, le four à convection

141

Avant de la déshydrater, il faut cuire la viande en prenant bien soin de l'assaisonner sans toutefois ajouter de matière grasse. Le gras ne se déshydrate pas et il fait rancir le produit final qui ainsi ne se conserve pas.

demeure le plus efficace à cause du ventilateur. Dans les mêmes conditions, les autres types de four se surchargent d'humidité, et la durée de déshydratation s'allonge. Une fois par heure, en utilisant une spatule de plastique, mélanger les grains pour qu'ils se déshydratent uniformément. Durée approximative : de trois à six heures.

Le bœuf et le veau se déshydratent aussi sous forme de petites boulettes. Utiliser une recette pour pain de viande ou tout simplement la viande nature, crue, salée, poivrée et façonnée en boulettes de deux centimètres de diamètre. Calculer 8 heures en prenant soin de ne pas dépasser 55 °C, pour éviter qu'il ne se forme une croûte à la surface, ce qui empêcherait l'eau de sortir du centre de la boulette. En camping, réhydrater les boulettes dans un bouillon ou une sauce claire avec des pommes de terre ou du riz et des légumes.

JAMBON

Choisir du jambon avec le moins possible de gras visible, de type Forêt Noire, ou le jambon cuit en torchon par exemple. Le trancher à une épaisseur de trois centimètres, le placer dans une marmite puis le couvrir d'eau ou de bière ou encore de jus de pomme légèrement dilué. Laisser bouillir pendant 20 minutes afin de le dégraisser et dessaler. L'égoutter et le passer au hachoir pour obtenir des grains. Déshydrater de la même façon que la viande hachée. À la sortie du four, l'éponger avec du papier essuie-tout afin d'enlever le gras fondu entourant les grains secs. Le gras invisible provoque le rancissement du produit en quelques jours et pour cette raison le jambon déshydraté ne se conserve pas longtemps; seul l'emballage sous vide convient. Dans la vie de tous les jours, le jambon devrait rarement faire partie du panier d'épicerie, car il est trop salé, trop gras et il contient des nitrates (le sel de nitrate ajouté au jambon agit comme agent de conservation et lui donne sa couleur rose et son goût très salé). Toutefois, en randonnée pédestre, après une longue journée à transpirer, un plat incluant occasionnellement du jambon déshydraté refait le plein de sel et incite à boire en soirée, ce qui favorise la réhydratation. Pour une portion, mesurer 60 ml ou un quart de tasse. Couvrir d'eau bouillante et laisser mijoter à couvert huit minutes puis reposer deux minutes. Ajouté au riz, aux pâtes ou même à une purée de pommes de terre, ce plat au jambon rassasie complètement.

142

Viande crue : pemmican

Se prépare avec de la viande ou de la volaille crue, en tranches minces de deux millimètres (la viande préparée pour la fondue est idéale). Pour faciliter la coupe, faire geler la viande ou la volaille et la trancher au robot culinaire pour obtenir une épaisseur uniforme. Laisser dégeler les tranches, saler et poivrer légèrement, les déposer sur la plaque recouverte d'une pellicule de plastique puis au four à 55 °C. Le pemmican séchera lentement en devenant de plus en plus foncé au cours du séchage. Consommer tel quel dans les vivres de course ou en complément, ajouté aux soupes, riz ou pâtes. Une portion de 30 g de pemmican fournit 15 g de protéines.

Viande marinée : jerky

Contrairement au pemmican, la viande trempe préalablement dans une marinade pendant plusieurs heures avant le séchage. Préparer une marinade (voir les recettes). Utiliser les tranches de bœuf à fondue ou de la chair maigre de poulet défaite en filaments ou dépecée en tranches minces. Les viandes utilisées varient : bison, orignal, cheval… Recouvrir totalement la viande avec la marinade. Laisser mariner au moins 24 heures. Remuer le mélange à chaque période de 8 heures. J'ai obtenu les meilleurs résultats en laissant mariner des filaments de poulet de grain pendant 48 heures. Au cours de la macération, la viande et la volaille brunissent comme si elles étaient cuites partiellement. Égoutter. Déposer les tranches sur la plaque métallique, toujours recouverte d'une pellicule de plastique. Attention à ce que chacune des tranches soit bien étendue, sans plis pour que la déshydratation soit plus uniforme et de plus courte durée. Tourner chaque tranche à toutes les heures, jusqu'à ce qu'elle devienne flexible et presque cassante à la pression du doigt et donc de texture croustillante. Laisser refroidir deux heures au grand air sec sans recouvrir, sinon le jerky reprendra un peu d'humidité. Conserver dans un pot fermé hermétiquement et à l'abri de la chaleur, de la lumière et de l'humidité. Éviter de le laisser à portée de main, sinon la tentation vous guette et vous aurez peine à y goûter une seule fois… c'est tellement bon qu'on y revient ! Excuse de gourmet gourmand ! Mon préféré demeure le jerky de poulet mariné à l'orientale (voir la recette). On trouve facilement sur le marché du jerky de bœuf et chez les Inuits on se procure du jerky de caribou.

Il est facile de déshydrater les plats composés. Toutefois, les légumes et les morceaux de viande doivent être coupés le plus mince possible. Couper les légumes en petits morceaux de 5 mm^3. Cuire la viande hachée à feu moyen dans une poêle antiadhésive, sans ajouter de gras. Celui que contient naturellement la viande hachée fondra. Après cuisson, égoutter la viande et dégraisser le bouillon. Déposer la viande et le bouillon dans une casserole, ajouter les légumes, la sauce tomate, les herbes et les épices. Après 30 minutes de cuisson, ajouter la pâte de tomate. Faire mijoter la sauce quelques heures ou jusqu'à consistance très épaisse. Plus la sauce sera épaisse, plus la durée de déshydratation diminuera.

Verser la sauce en une couche uniforme d'un à deux centimètres dans une lèchefrite recouverte d'une pellicule de plastique. Après environ quatre heures, la sauce aura pris l'apparence d'une plaquette caoutchouteuse. La soulever en la décollant de la pellicule de plastique et la tourner de l'autre côté pour encore deux ou trois heures, jusqu'à ce que le produit devienne presque sec. Déchirer cette plaque de caoutchouc en petits morceaux et les passer au robot culinaire afin d'obtenir des granules grossiers. Si les grains semblent encore un peu humides au toucher, remettre au four pour une période de trente minutes à une heure. La sauce à spaghetti perd jusqu'à 75 % de son volume initial. Empaqueter en portion de 1 tasse séchée, soit 750 ml à 1 l de sauce après réhydratation. En camping, faire cuire d'abord les pâtes. Pour réhydrater la sauce, utiliser l'eau de cuisson des pâtes, plus riche en amidon. Ce plat de spaghettis assouvit les ventres creux.

Petit secret

Un Chili fortement épicé procure beaucoup de chaleur dont la sensation se prolonge un bon moment après la fin du repas. Avis aux intéressés, amateurs de camping d'hiver !

Pour le Chili *con o sin carne*, même scénario que pour la sauce à spaghetti sauf que les légumineuses prennent plus de temps que le reste à sécher. La solution la plus simple consiste à les déshydrater séparément ou encore à les briser en plus petits morceaux avant le séchage.

Poissons

La sole, le saumon et le thon frais doivent être assaisonnés et cuits au four avant d'être défaits en flocons. Les déposer sur une plaque en une couche très mince et uniforme. Pendant la déshydratation, le saumon dégage une odeur très forte. Cette odeur demeure, même après le procédé. L'emballer dans un sac étanche, sous vide de préférence, sinon l'odeur persiste à travers l'emballage et attire les animaux. Si vous ne voulez pas être suivi sur le sentier, ou si vous allez camper au pays des ours, changer le menu. Même la gamelle de plastique garde l'odeur pendant des jours. En randonnée en Alaska, sur le sentier des chercheurs d'or, la Chilkoot Pass, les céréales avaient le goût du saumon de la veille ! Je n'ai pas apprécié ! J'en étais à mes débuts et heureusement mes amis cobayes me pardonnaient tout ou presque… Au retour de la traversée de l'île Ellesmere, expédition franco-québécoise, l'équipe s'est plainte du même problème, à savoir que la gamelle conservait l'odeur du saumon, même après un nettoyage ardu. Pourtant à −45 °C les odeurs disparaissent, paraît-il… Avec les poissons trop gras, comme le maquereau ou le flétan, il devient impossible d'obtenir un bon produit final, toujours à cause du rancissement des gras.

Faire cuire le poisson au four, le défaire en flocons, déposer ceux-ci sur une plaque en une couche mince et les déshydrater. Le poisson déshydraté dégage dans le sac à dos une odeur qui peut attirer les animaux.

Crevettes et pétoncles

Faciles et rapides à déshydrater, voici un excellent choix pour votre première expérience. Utiliser des fruits de mer congelés et les passer 15 secondes au robot culinaire. Les pétoncles peuvent être tranchés. Étendre ces flocons de crevettes ou les tranches de pétoncles en une couche mince et uniforme sur la plaque recouverte de pellicule de plastique. Déposer au four. La période de séchage dure à peine deux heures. À la mi-temps, à l'aide d'une cuillère de plastique, remuer les flocons ou les tranches afin de favoriser un séchage uniforme. Une odeur forte se dégage du produit sec mais disparaît lors de la réhydratation. Une portion de fruits de mer secs pèse 15 g.

Œufs

La déshydratation domestique des œufs frais présente des risques importants à cause du développement de la salmonella. On trouve de la poudre d'œufs déshydratés ou lyophilisés sur le marché sous forme nature ou d'œufs brouillés. Pasteurisés avant d'être déshydratés ou lyophilisés, ils sont donc exempts de salmonella. Le goût et la texture des œufs lyophilisés surpassent ceux des œufs déshydratés auxquels le séchage à la chaleur confère un goût plutôt désagréable. Le volume d'un œuf en poudre pèse 18 g et se réhydrate avec 45 ml ou 3 c. à soupe d'eau froide.

Légumineuses

Les légumineuses offrent un excellent résultat comme produit déshydraté. Choisir des légumineuses nature, ou marinées, en conserve ou tout simplement sèches. Ces dernières doivent être cuites avant d'être déshydratées tandis que les produits en conserve doivent juste être rincés puis égouttés. Les placer en une seule couche sur la plaque recouverte d'une pellicule de plastique. Les pois chiches et les fèves de Lima mettent 4 fois plus de temps que les lentilles, soit environ 10 heures. Malgré leur apparence sèche, ils demeurent parfois humides à l'intérieur. Il faut leur porter une attention particulière. Vérifier en coupant quelques légumineuses en deux. Elles doivent être sèches jusqu'au centre. Le fait de les hacher en petits morceaux réduit le temps de séchage. L'enveloppe des haricots rouges éclate naturellement pendant le séchage, ce qui permet la déshydratation complète. En camping, les utiliser en salades ou les ajouter au riz pour compléter les protéines.

Le tofu très ferme en tranches de 5 mm d'épaisseur se déshydrate très bien. Il est d'apparence grisâtre une fois sec; le réhydrater dans un savoureux bouillon aux herbes.

Emballage, étiquetage, entreposage, conservation et utilisation

Même après déshydratation, les aliments contiennent encore un faible pourcentage variable d'eau. Afin d'assurer une conservation de ces produits, les emballer dans des sacs, pots de plastique ou bocaux en verre étanches. Les sacs à fermeture de type «Zip Loc» s'usent et peuvent s'ouvrir sous la simple pression du sac à dos. Pour de longues sorties, il vaut mieux utiliser des attaches. Les sacs de lait recyclés conviennent parfaitement (bien les nettoyer, car les bactéries du lait peuvent rester). Prendre soin d'enlever le maximum d'air et sceller à l'aide d'un fer à repasser. Placer le sac de plastique entre deux feuilles de papier journal. Passer le fer pendant quelques secondes seulement sur le papier, puis enlever aussitôt le papier. On obtient ainsi un sac scellé à la taille désirée. Dans les contenants, enlever le maximum d'air possible à l'aide d'une paille ou en pressant les aliments puis en remplissant les contenants à ras bord avant de fermer hermétiquement.

Étiqueter le contenant en indiquant le nom du produit, le poids, le rendement après réhydratation (nombre de portions), la quantité d'eau à rajouter et la date de déshydratation. Consommer les produits portant les dates les plus anciennes, pour une meilleure gestion des réserves. Au cours des semaines suivant l'entreposage, vérifier de temps en temps l'apparence des aliments empaquetés, pour assurer l'absence de micro-organismes telles les moisissures. Pour éviter le poids de l'étiquette, écrire directement sur le sac en utilisant de l'encre indélébile.

Entreposés dans un lieu frais (<15 °C) telle une chambre froide, à l'abri de l'humidité, de la lumière et des insectes, les aliments déshydratés se conservent généralement de plusieurs mois à quelques années. Pour certains aliments, la lumière peut affecter la couleur du produit et le contenu en vitamine B, si l'entreposage dure plus de deux mois dans un contenant transparent. Il serait plus sécuritaire d'emballer sous vide et de placer les sacs de plastique dans des boîtes en métal ou en plastique opaque à couvercle qui visse. La longévité du produit, l'apparence, l'odeur, la saveur et la texture seraient ainsi assurées. En cas d'incertitude, mieux vaut les placer au réfrigérateur ou au congélateur jusqu'à leur utilisation.

Au moment d'utiliser les aliments déshydratés, il suffit d'ajouter la quantité d'eau nécessaire pour la réhydratation complète de l'aliment, soit, en moyenne, trois fois le volume de l'aliment sec. Laisser mijoter dix minutes, le temps minimum pour tuer les bactéries et rendre la texture initiale au produit.

Déshydratation à froid

Lyophilisation

Le terme «lyophilisation» désigne une technique de déshydratation industrielle et signifie «séchage à froid». L'aliment, d'abord congelé à une très basse température, soit −25 °C, subit ensuite un vide poussé, qui permet à la glace de se transformer en vapeur récupérée par un condensateur. Cette méthode d'extraction de l'eau améliore la conservation et ne nécessite aucune réfrigération subséquente. Le volume et la forme du produit lyophilisé restent identiques à ceux du produit frais et ses qualités organoleptiques et nutritionnelles sont préservées. À cause du coût du procédé de lyophilisation qui demande beaucoup d'énergie, les produits lyophilisés se vendent plus cher que les aliments déshydratés. On peut obtenir d'excellents résultats avec plusieurs aliments : les légumes, certains fruits, les viandes et les plats composés à base de viande, les œufs, les poissons, les fruits de mer, les légumineuses, les pâtes alimentaires, le yogourt, le lait de soya et aussi le café, premier produit alimentaire lyophilisé à avoir été commercialisé dans les années 60.

Repère de poids : 1 kg de légumes frais donne environ 100 g de légumes lyophilisés.

Les plats lyophilisés Outdoor Gourmet Plein Air, fabriqués par Lyo-San, sont emballés dans un sachet ultra-technique. Ce type d'emballage conserve les arômes et permet la réhydratation des aliments directement dans le sachet. Conditionnés sous vide, ces aliments se conservent aux conditions atmosphériques ambiantes pendant plusieurs années.

Emballage et conservation

Avec un emballage approprié, les produits lyophilisés se conservent jusqu'à plusieurs années à la température normale de la pièce. L'emballage sous vide améliore de façon significative la préservation de certains nutriments sensibles à la détérioration par l'air ambiant, soit les vitamines A, C et B. La riboflavine (vitamine B2), très sensible à la lumière, exige des emballages opaques. Des études scandinaves ont démontré que les aliments lyophilisés et emballés sous vide avec

148

adjonction d'azote (gaz inerte ne réagissant pas avec l'aliment, utilisé pour éviter que le sachet ne ratatine) peuvent être consommés sans aucune inquiétude après deux ans. La compagnie québécoise Lyo-San qui fabrique des plats lyophilisés pour le plein air utilise ce type d'emballage.

Réhydratation

La structure très poreuse des produits lyophilisés rend la réhydratation quasi instantanée dans l'eau froide comme dans l'eau bouillante, ce qui importe particulièrement en altitude, à cause de la faible pression atmosphérique, où l'eau bout déjà à 84 °C avant même d'atteindre une température satisfaisante. Les aliments lyophilisés, une fois reconstitués, retrouvent leur couleur, leur saveur et leur texture en quelques minutes. L'aspect organoleptique dépasse les résultats obtenus à l'aide d'autres méthodes de déshydratation.

Valeur nutritive

Les résultats d'analyses scientifiques démontrent que les aliments lyophilisés demeurent les plus proches des aliments frais en terme de valeur nutritive et se comparent avantageusement aux aliments congelés, avec une perte nutritionnelle minimale. La déshydratation, par contre, à cause de la longue période de séchage à la chaleur, détruit plus de nutriments. D'autre part, les aliments déshydratés exigent plus de temps de cuisson et donc une perte plus importante de nutriments thermosensibles. Pour toutes ces raisons, la meilleure méthode de conservation demeure la lyophilisation, puisque de tous les procédés actuels cette méthode est celle qui retient le mieux les qualités nutritives et la valeur organoleptique des aliments. Toutefois, les repas déshydratés adéquatement répondent aussi aux besoins aux points de vue de la santé et de la gastronomie. Grâce à la technologie alimentaire d'aujourd'hui, je vous propose une table d'hôte cinq étoiles, que vous soyez à 5000 m d'altitude, à skis sur la banquise, en train de contempler la lumière des dunes sahariennes ou en camping au bord de la rivière Koroc.

149

6 À la table d'Odile

RECETTES POUR LE PLEIN AIR

Recettes pour le plein air

Je ressens un immense bonheur à cuisiner dehors, sous n'importe quelle latitude et à partager le repas dans des décors de rêve. Depuis nombre d'années je vis des moments privilégiés, j'expérimente de nouveaux plats et je rencontre des gens qui m'inspirent.

J'aime me retrouver à ciel ouvert, n'importe où, à flanc de montagne, sur la banquise ou au bord d'une rivière sur des dunes de sable et poser ces gestes de survie tout simples qui ramènent à l'essentiel. J'ai pêché de l'omble de l'Arctique à volonté dans les eaux froides du Groenland et dans le Fjord Alluviak menant aux Monts Torngat. J'ai pique-niqué sur le plateau du Mont-Albert en admirant les caribous. J'ai profité des plages de l'île d'Anticosti pour m'avancer encore plus loin vers la mer, puis manger des crâbes minuscules dénichés sous les galets. En canot, j'ai accosté sur une île au hasard du temps, envahie de bleuets. Une fois en Gaspésie, à vélo, en haut d'une côte, on s'est arrêté pour cueillir des framboises dans le fossé sur le bord du chemin; elles étaient toutes chaudes de soleil; les meilleures framboises du monde. Combien de fois, le moment du dîner devient celui d'admirer tranquillement le paysage depuis un point de vue exceptionnel au milieu de nulle part.

Voici quelques-unes des meilleures recettes sélectionnées dans ma réserve. Elles regroupent toutes les catégories de plats pour différents types de sorties. Plusieurs évoquent de merveilleux souvenirs. Je vous invite à ma table.

< En canot, deux petites truites attrapées à la sauvette et grillées sur la pierre chaude. Les clients portugais ont baptisé mon menu : «Trout on the rock». Photo : Josée Poirier

Couscous aux bananes

Lors de la traversée du Québec à skis, du sud vers le nord, en 1980, l'équipe d'André Laperrière avait eu l'idée d'ajouter des fruits séchés à un reste de semoule. Une trouvaille toute simple à retenir.

Ingrédients

100 g ou 4 bâtonnets de bananes déshydratées
    (elles ont l'apparence de bâtonnets noirs de 12 cm [5 po] de longueur),
    l'équivalent d'une banane fraîche
30 ml (2 c. à soupe) de sucre brut ou de cassonade
250 ml (1 tasse) de semoule
125 ml d'amandes effilées

Mode de préparation

À LA MAISON : trancher les bananes déshydratées en morceaux de 6 mm (1/4 po) d'épaisseur. Les emballer avec le sucre. Emballer la semoule à part. Faire griller légèrement les amandes dans une poêle non huilée placée sur feu doux, les mélanger régulièrement pour un grillage uniforme. Laisser refroidir et les emballer dans un sac de plastique.

AU CAMPING : dans une casserole à couvert, amener à ébullition les bananes et le sucre dans 375 ml (1 1/2 tasse) d'eau. Retirer du feu et verser la semoule. Mettre le couvercle et attendre 5 minutes ou jusqu'à ce que la semoule gonfle et que sa consistance soit ferme, ni humide ni collante quoique bien tendre. Parsemer d'amandes grillées.

VARIANTE : pour un déjeuner plus énergétique, ajouter 30 ml (2 c. à soupe) d'huile de noix à la recette originale.

Rendement : 2 portions de 300 ml

Valeur nutritive de la recette complète (avec amandes)	
Calories	385,5 kcal
Protéines	10 g
Lipides	9,5 g
Glucides	65 g
Cholestérol	0 mg
Fibres	11 g
Fer	6 mg
Calcium	128 mg
Poids total	186 g

Granola de luxe

Charles-Emmanuel, quatre ans, les appelle les céréales de camping. Il les aime avec du yogourt ou du lait. Pour faire la fête, son père installe la tente dans la cour arrière de la maison. Le grand explorateur réclame invariablement ces céréales comme déjeuner d'aventure. En camping, on les mange avec du lait en poudre, du yogourt frais ou lyophilisé.

Ingrédients

750 ml (3 tasses) de gros flocons d'avoine
60 ml (1/4 tasse) de germe de blé
125 ml (1/2 tasse) de graines de tournesol nature
60 ml (1/4 tasse) de graines de sésame
125 ml (1/2 tasse) de noix de coco non sucrée
125 ml (1/2 tasse) d'amandes grossièrement hachées
60 ml (1/4 tasse) de son de blé ou d'avoine
60 ml (1/4 tasse) de noix de Grenoble grossièrement hachées
60 ml (1/4 tasse) de raisins secs Thompson
60 ml (1/4 tasse) de dattes hachées finement
60 ml (1/4 tasse) de bananes séchées concassées
60 ml (1/4 tasse) de canneberges séchées
    (disponibles dans les boutiques d'alimentation spécialisées)
100 ml (1/4 tasse + 2 c. à soupe) d'huile d'arachide
100 ml (1/4 tasse + 2 c. à soupe) de miel
2 ml (1/2 c. à thé) de vanille

Valeur nutritive d'une portion de 150 ml	
Calories	363 kcal
Protéines	8 g
Lipides	21 g
Glucides	35,5 g
Cholestérol	0 g
Fibres	5,6 mg
Fer	2,3 mg
Calcium	78 mg
Poids total	132 g

Mode de préparation

Dans un grand bol, mélanger les ingrédients secs, sauf les raisins, les dattes, les bananes et les canneberges. Dans une petite casserole, faire chauffer légèrement l'huile et le miel, juste assez pour dissoudre ce dernier, ajouter la vanille, mélanger et verser sur les ingrédients secs. Brasser pour bien enrober les ingrédients secs. Étaler sur une tôle à biscuits et cuire au four à 140 °C (280 °F) environ 30 minutes, en remuant de temps en temps pour faire dorer uniformément. Retirer du four et ajouter les fruits secs. Laisser complètement refroidir et conserver dans un bocal de verre fermé hermétiquement. Pour les sorties de plein air, emballer en portions désirées dans des sacs de plastique.

Rendement : 1,5 litre, donne 10 portions de 150 ml.

Pique-nique chez les Amérindiens de la Manouane : ragoût d'orignal et banique

Déjeuners — Pains et muffins

Banique

Déjeuner classique en canot-camping, ce pain d'origine amérindienne, traditionnellement préparé avec de la farine de maïs, se cuisait sur feu de bois. Aujourd'hui les farines et méthodes de cuisson varient. Un été, j'ai rencontré une Algonquine avec son fils Rickie, au cours d'un portage au bout du lac Transparent, situé au cœur de la réserve faunique de La Vérendrye. Elle a tenu à partager sa banique aux bleuets encore chaude. Je n'en ai jamais goûté de meilleure depuis.

Ingrédients

500 ml (2 tasses) de farine de blé entier
60 ml (1/4 tasse) de lait en poudre
60 ml (1/4 tasse) de sucre brut
125 ml (1/2 tasse) de raisins secs ou canneberges déshydratées ou bleuets déshydratés
30 ml (2 c. à soupe) de levure chimique («poudre à pâte»)
1 ml (1/4 c. à thé) de cannelle
2 ml (1/2 c. à thé) de sel
30 ml (2 c. à soupe) de farine blanche
30 ml (2 c. à soupe) d'huile d'arachide

Mode de préparation

À LA MAISON : à l'aide d'une fourchette, mélanger les ingrédients secs, sauf la farine blanche. Emballer ce mélange dans un sac de plastique et la farine blanche à part. Transporter l'huile dans un contenant solide et étanche.

AU CAMPING : verser le mélange sec dans un bol et faire un puits au centre. D'un seul trait, ajouter 180 ml (3/4 tasse) d'eau froide (ou suffisamment pour obtenir une pâte malléable) en remuant juste assez pour humecter les ingrédients secs. Limiter les manipulations. Saupoudrer la farine blanche sur la pâte pour qu'elle ne soit plus collante. Former un pain arrondi.

156

VARIANTE : ajouter 125 ml (1/2 tasse) d'amandes effilées ou de noisettes concassées.

DIFFÉRENTES MÉTHODES DE CUISSON

SUR FEU DE BOIS avec une grille au-dessus d'une braise idéalement bien rouge : façonner le mélange en galettes très aplaties. Recouvrir la grille d'une feuille d'aluminium, la huiler légèrement et y déposer les galettes. Cuire durant 5 minutes de chaque côté. Garnir de confiture, miel de sarrasin ou beurre d'amandes.

SUR RÉCHAUD, à la poêle avec la flamme à son plus faible : déposer la pâte dans une poêle antiadhésive légèrement huilée. Façonner la pâte à la grandeur de la poêle. Couvrir et cuire lentement 15 minutes de chaque côté. Vérifier la cuisson en piquant le centre de la banique avec un couteau. Elle est cuite quand le couteau en ressort propre.

SUR UNE BRANCHE : écorcer le bout de la branche. Diviser la pâte en quatre parties égales. Enrouler la pâte aplatie sur la branche. Placer au-dessus du feu et tourner régulièrement ou au besoin jusqu'à ce que le pain soit bien doré. Retirer la branche de la pâte cuite, puis remplir l'espace de confiture ou de beurre d'arachide.

AU FOUR TRADITIONNEL : préchauffer le four à 400 °C (200 °F). Placer la pâte dans un plat huilé allant au four. Cuire pendant 25 à 30 minutes ou jusqu'à ce que le pain soit bien doré. À la sortie du four, badigeonner de beurre fondu, si désiré.

VARIANTE : pudding du chômeur : déposer la pâte au fond d'une marmite bien graissée. Faire chauffer 500 ml (2 tasses) de sirop d'érable avec 15 ml (1 c. à soupe) de beurre et 30 ml (2 c. à soupe) d'eau. Verser le sirop chaud sur la pâte. Mettre le couvercle. Laisser cuire 15 minutes à feu très très doux. Servie en dessert, tous l'apprécient, surtout en expédition hivernale.

Rendement : 4 à 6 grosses portions

Valeur nutritive de la recette complète	
Calories	415 kcal
Protéines	11 g
Lipides	3 g
Glucides	86 g
Cholestérol	0,9 mg
Fibres	2,5 g
Fer	5 mg
Calcium	182 mg
Poids total	420 g

Muffins à la poêle

Pendant une randonnée pédestre de vingt et un jours au Groenland, j'en fabriquais presque chaque matin pour mes clients français. Toutes ces matinées du mois d'août à déjeuner au bord des fjords, à écouter le bruit du glacier ou le fracas des icebergs qui se renversaient et surtout à leur raconter le Québec en couleurs ! Plus nourrissants que la banique, et plus simples à réussir que les crêpes, ces muffins offrent un déjeuner chaud en camping d'automne. Faire ressortir la saveur en les garnissant de gelée de pomme pendant qu'ils sont encore chauds.

Muffins à la poêle. La cuisson se fait également sur une grille recouverte de papier aluminisé bien huilé.

Ingrédients

60 ml (1/4 tasse) de raisins secs

4 dattes hachées très finement

4 abricots séchés et hachés très finement

60 ml (1/4 tasse) de lait écrémé ou entier en poudre

180 ml (3/4 tasse) de farine de blé entier

80 ml (1/3 tasse) de son d'avoine

60 ml (1/4 tasse) de germe de blé grillé ou nature

60 ml (1/4 tasse) de sucre brut ou de cassonade

5 ml (1 c. à thé) de levure chimique («poudre à pâte»)

30 ml (2 c. à soupe) ou 28 g d'œuf lyophilisé ou 1 œuf frais

60 ml (4 c. à soupe) d'huile d'arachide

Mode de préparation

À LA MAISON : emballer les fruits séchés, le lait en poudre et tous les autres ingrédients secs dans trois sacs de plastique différents. Transporter l'huile dans un petit contenant étanche.

AU CAMPING : placer les fruits séchés dans un petit bol plutôt creux. Recouvrir les fruits d'eau bouillante (environ 75 ml, 1/3 tasse). Laisser reposer 10 minutes. Ajouter le lait en poudre. Bien mélanger avec les fruits. Dans un grand bol, mélanger tous les ingrédients secs. Ajouter 3 c. à soupe d'huile

158

au mélange liquide de fruits. Verser sur les ingrédients secs. Mélanger d'un mouvement rapide. L'utilisation d'œuf lyophilisé plutôt que l'œuf entier nécessite l'ajout de 3 c. à soupe d'eau froide (45 ml).

Dans une poêle antiadhésive, ajouter l'huile qui reste. Faire chauffer sur feu très doux. Déposer 2 c. à soupe du mélange, l'aplatir légèrement et lui donner une forme arrondie. Si vous utilisez une grande poêle de 22 cm (9 po) de diamètre, les 8 petits muffins peuvent cuire en même temps. Couvrir* et laisser cuire 5 minutes. Retourner chaque muffin et laisser au feu jusqu'à ce qu'il soit cuit au centre, soit environ 7 minutes. Vérifier en le piquant de la lame d'un couteau : si elle en ressort propre, la cuisson est terminée.

*Le papier d'aluminium remplace adéquatement le couvercle de métal.

Rendement : 8 muffins

Valeur nutritive d'un muffin	
Calories	212 kcal
Protéines	5 g
Lipides	8 g
Glucides	30 g
Cholestérol	27 mg
Fibres	3,3 g
Fer	1,5 mg
Calcium	75 mg
Poids total	51 g

Galettes polaires

En expédition, les galettes polaires remplacent le pain au déjeuner. Réchauffées et garnies d'une confiture de framboises, elles vous feront skier contre de grands vents. J'ai créé cette recette pour la traversée de l'île Ellesmere en 1992. Mes galettes sont devenues tellement populaires que j'en ai préparées près de 4000 jusqu'à ce jour. J'ai eu des ampoules aux mains après en avoir préparé 300 pour mon expédition au Spitzberg; mais quand je les ai offertes, le succès obtenu m'a récompensée de mon travail.

Ingrédients

125 ml (1/2 tasse) de beurre ramolli

125 ml (1/2 tasse) de cassonade

1 œuf

5 ml (1 c. à thé) de vanille

185 ml (3/4 tasse) de graines de tournesol nature

185 ml (3/4 tasse) de graines de sésame

185 ml (3/4 tasse) de farine de blé complet

375 ml (1 1/2 tasse) de flocons d'avoine

60 ml (1/4 tasse) de germe de blé nature

2 ml (1/2 c. à thé) de bicarbonate de soude

15 ml (1 c. à soupe) de zeste de citron, de lime ou d'orange (facultatif)

Valeur nutritive d'une galette	
Calories	280 kcal
Protéines	6,6 g
Lipides	18 g
Glucides	23 g
Cholestérol	39 g
Fibres	3,8 mg
Fer	3 mg
Calcium	117 mg
Poids total	80 g

Mode de préparation

Défaire le beurre en crème, ajouter la cassonade, l'œuf et la vanille. Moudre les graines de tournesol et de sésame au robot culinaire pendant 15 secondes. Mélanger les ingrédients secs ainsi que le zeste et les graines grossièrement moulues. Incorporer le mélange sec au mélange crémeux. Façonner en galettes de 2 cm (3/4 po) d'épaisseur sur 7 cm (2 po 3/4) de diamètre *. Réfrigérer 2 heures ou congeler 15 minutes. Déposer sur une plaque à biscuits non graissée. Faire cuire au four à 190 °C (375 °F) pendant 12 minutes ou jusqu'à une couleur bien dorée. Laisser refroidir sur une grille pendant 8 heures. Se conserve longtemps au frais.

*Pour réussir des galettes de format égal, mesurer la pâte en remplissant une mesure de 60 ml (1/4 de tasse), puis façonner la galette.

Rendement : 12 galettes

Omelette au saumon mariné

Déjeuner riche en protéines pour les affamés du matin. La cuisson très rapide du mélange fait que la chair du poisson garde son moelleux et donne du caractère à l'omelette. Le saumon cru mariné se trouve chez tout bon poissonnier. Ça me rappelle le « brunch » du dernier jour de la traversée de Charlevoix à la fin de février. Nous avions passé la nuit dans le refuge perché au bord de la rivière Malbaie.

Ingrédients

50 g ou 80 ml (1/3 tasse) d'œufs lyophilisés (l'équivalent de 2 œufs)
20 ml (1 c. à soupe + 1 c. à thé) de lait en poudre
ciboulette séchée ou fraîche
sel et poivre au goût
50 g de saumon cru mariné, tranché en lanières minces
100 ml (6 c. à soupe) d'eau froide

Mode de préparation

À LA MAISON : emballer les ingrédients secs dans un sac de plastique. On transporte le saumon dans un petit contenant en lexan étanche afin d'éviter que l'odeur ne se répande.

AU CAMPING : verser l'eau sur les ingrédients secs. Battre légèrement à l'aide d'une fourchette ou d'un fouet. Ajouter le saumon et mélanger. Verser le mélange dans une poêle antiadhésive sans ajouter de gras. Cuire de 1 à 2 minutes en remuant continuellement. Servir immédiatement.

VARIANTE : étant donné que le saumon cru mariné ne se conserve que quelques heures à la température de la pièce, ce déjeuner est conseillé pour une sortie d'automne ou en hiver. En été, faire l'omelette nature.

Rendement : 1 grosse portion

Valeur nutritive d'une portion	
Calories	378 kcal
Protéines	37 g
Lipides	22 g
Glucides	8 g
Cholestérol	508 mg
Fibres	0 g
Fer	2,4 mg
Calcium	77 mg
Poids total	72 g

À la table d'Odile

Fèves au lard

Cette recette est réalisable seulement en saison chaude et sur feu de bois parce que la cuisson dure toute la nuit, dans un chaudron placé dans la braise, entouré de pierres chaudes. J'ai souvenir d'un matin très brumeux et frais de septembre, en canot-camping, dans la réserve faunique de La Vérendrye : il faisait bon alors se réchauffer avec ce plat bien chaud et savoureux, arrosé de sirop d'érable bouillant.

Ingrédients

500 ml ou 450 g (2 tasses) de haricots blancs secs
250 ml (1 tasse) de jambon déshydraté (remplace le lard)
60 ml (1/4 tasse) de sucre brun
10 ml (2 c. à thé) de moutarde sèche
30 ml (2 c. à soupe) d'oignon en flocons
15 ml (1 c. à soupe) de tomates en poudre
2 ml (1/2 c. à thé) de sel
1 ml (1/4 c. à thé) de poivre noir
60 ml (1/4 tasse) de mélasse
sirop d'érable
1 oignon

Mode de préparation

À LA MAISON : emballer les haricots dans un sac de plastique. Tous les autres ingrédients secs sont emballés dans un deuxième sac. Le sirop d'érable et la mélasse sont transportés dans deux bouteilles différentes en lexan, et l'oignon en vrac.

AU CAMPING : laisser tremper les fèves durant 12 heures, en les plaçant dans un pot en lexan d'un litre qui visse. Ce qui permet de le placer soit dans le fond du canot, soit à l'abri des animaux au campement fixe. À la brunante, creuser un trou profond de 30 cm (12 po) dans le sable et légèrement plus grand que le volume du chaudron. Placer des pierres plates sur le tour intérieur du trou. Faire un feu de bois dans ce trou. Égoutter les haricots et les mettre dans un chaudron allant au four. Ajouter tous les autres ingrédients ainsi que l'oignon haché finement (excepté le sirop d'érable). Bien mélanger. Couvrir d'eau bouillante et poser le couvercle. Lorsque le feu est prêt, déposer le chaudron sur les braises chaudes entourées des pierres tout aussi chaudes et faisant office de four. Déposer une pierre chaude sur le couvercle. Laisser cuire jusqu'à l'aurore (durée de cuisson : 7 heures). Le temps de cuisson dépend de la chaleur initiale des pierres et de la quantité de braises.

Rendement : 8 portions

Valeur nutritive d'une portion (sans le sirop d'érable)	
Calories	315 kcal
Protéines	21 g
Lipides	3 g
Glucides	51 g
Cholestérol	19 mg
Fibres	6,4 g
Fer	5,2 mg
Calcium	130 mg
Poids total	129 g

Crêpes aux trois farines

Faciles à réussir, très nourrissantes, offrant une texture de crêpes Suzette, elles peuvent être préparées à l'avance et réchauffées au moment de manger. «Le mot crêpe signifie pâte cuite en plein air. [1]»

Ingrédients

30 ml (2 c. à soupe) de farine de sarrasin

30 ml (2 c. à soupe) de farine de blé entier

30 ml (2 c. à soupe) de farine de soya

30 ml (2 c. à soupe) d'œuf en poudre lyophilisé (facultatif)

une pincée (1/8 c. à thé) de sel

GARNITURE : beurre de noix (arachide, noisette, amande), graines de sésame grillées et sucre d'érable râpé séché. Pour reconstituer ce dernier, il suffit d'ajouter le quart de son volume d'eau chaude. Bien mélanger jusqu'à ce que le sucre soit fondu.

Valeur nutritive de la recette complète (sans garniture)	
Calories	177 kcal
Protéines	7 g
Lipides	1 g
Glucides	35 g
Cholestérol	2 mg
Fibres	5,6 g
Fer	2,4 mg
Calcium	158 mg
Poids total	54 g

Mode de préparation

À LA MAISON : emballer tous les ingrédients secs dans un sac de plastique.

AU CAMPING : faire un puits au centre des ingrédients secs. Verser environ 60 ml (1/4 tasse) d'eau froide directement dans le puits en battant vigoureusement à l'aide d'une cuillère de bois. Chauffer une poêle à frire antiadhésive; y verser un peu d'huile, puis essuyer avec du papier absorbant* afin d'enlever le surplus d'huile au fond de la poêle. Verser un peu de pâte (environ 45 ml, 3 c. à soupe) dans la poêle chaude, puis faire tourner celle-ci pour enduire le fond. Faire cuire la crêpe jusqu'à ce qu'elle prenne une teinte dorée, puis la retourner au moyen d'une spatule. Faire dorer l'autre côté. Étaler le beurre de noix sur la face tachetée de la crêpe. Rouler la crêpe ou la replier en triangle. Verser le sirop chaud et garnir de graines de sésame grillées.

* Un petit morceau d'écorce de bouleau (écorce tombante ou déjà au sol) peut faire un excellent travail. L'écorce trempée dans l'huile pour badigeonner la poêle est un moyen d'économiser l'huile puisque celle-ci n'est pas absorbée par l'écorce.

Rendement : 4 crêpes minces

1. Référence : Revel, Jean-François. *Un festin en paroles*, Paris, Éditions Jean-Jacques Pauvert, 1979, p. 78.

< Crêpe aux trois farines. Le petit-déjeuner aux crêpes est devenu une tradition en canot-camping.

Pique-niques et vivres de course

Amandes au tamari

Croustillantes, bien salées, elles fournissent de bons gras. On en mange sans se rassasier. Pendant la crise du verglas, j'en ai même préparé sur le poêle à bois pour célébrer la fin des vingt-deux jours de noirceur. Excellentes avec un rosé « verglacé » !

Ingrédients

500 ml (2 tasses) d'amandes entières
80 ml (1/3 tasse) de tamari

Mode de préparation

Préchauffer le four à 200 °C (400 °F). Sur une plaque à biscuits, déposer les amandes en une seule couche. Faire cuire environ 8 minutes. Retirer du four et arroser les amandes bien chaudes avec le tamari. À l'aide d'une cuillère de bois, remuer les amandes pour s'assurer que chacune soit bien enrobée. Remettre au four de 5 à 10 minutes, juste le temps que le tamari adhère aux amandes et ait l'air sec. L'intérieur des amandes doit conserver sa couleur pâle. Retirer du four et laisser refroidir sur la plaque quelques heures. Conserver dans un contenant étanche. Donne 500 ml (2 tasses).

Rendement : 8 portions de 125 ml (1/2 tasse)

Valeur nutritive d'une portion de 125 ml	
Calories	186 kcal
Protéines	10 g
Lipides	14 g
Glucides	5 g
Cholestérol	0 mg
Fibres	5,5 g
Fer	1,1 mg
Calcium	68 mg
Poids total	33 g

GORP

Je vous propose trois mélanges de GORP : «l'original» pour les excursions en automne et en hiver, «du loisir» pour l'aventure d'un jour, et «l'exploit» pour les expéditions.

1. L'original

Ingrédients

	Poids (g)	Volume	Kcal	Protéines (g)	Lipides (g)	Glucides (g)	Fibres (g)
arachides espagnoles salées	27	45 ml	115	5	9	3,6	2,7
amandes crues au tamari	15	12 unités	97	2,8	8,4	2,7	2,1
noix de cajou crues	10	5 unités	39	1,6	2,2	3,3	0,2
noix du Brésil	7	2 unités	50	1	4,7	1	0,6
noix de macadamia	3	1 unité	32	0,3	2,3	2,5	—
graines de citrouille crues	14	15 ml	81	3,4	6,4	2,5	2
graines de tournesol	9	15 ml	56	1,8	5	1,3	—
ananas en morceaux	15	30 ml	49	0,1	0,1	12	0,2
bananes séchées	12	30 ml	48	0,5	0,2	11	0,9
raisins Sultana	10	15 ml	42	0,3	0,1	7,9	0,7
datte Medjool	8	1 unité	25	0,2	0	6,1	0,7
pruneau dénoyauté	8	1 unité	22	0,2	0	5,3	1,4
abricot non sulfuré	7	1 unité	18	0,3	0	4,3	0,8
pomme déshydratée	12	2 tranches	34	0,1	0	8,5	0,2
poire déshydratée	17	1 unité	49	0,3	0	12	2
gingembre confit	5	1 morceau	18	0	0	4,4	0,3
bonbon au miel	3	1 unité	6	0	0	1,6	0
jerky	20	60 ml	112	12	7	0,4	0
Total	202	300 ml	892	30	45,4	90,4	14,8

2. Du loisir

Diviser les quantités de noix et de fruits séchés en deux et conserver le jerky comme excellente source de protéines.

3. De l'exploit

Doubler les quantités de la recette originale et ajouter

	Poids	kcal	protéines	lipides	glucides	fibres
pâte d'amandes	50 g	272	7	16	25	0
chocolat	40 g	224	3	12	26	0
nougat concassé	30 g	106	1	2	21	0
total	120 g	602	11	30	72	0

Mode de préparation

Mélanger les ingrédients salés et les emballer dans un sac de plastique. Fermer avec une attache. Faire de même pour les ingrédients sucrés.

Rendement : 1 portion d'environ 250 ml (1 tasse)

Valeur nutritive totale	original	du loisir	de l'exploit
Calories	892 kcal	502 kcal	2386 kcal
Protéines	30 g	21 g	71 g
Lipides	45,4 g	26,2 g	120,8 g
Glucides	90,4 g	46 g	253 g
Fibres	14,8 g	7,4 g	29,6 g
Poids total	202 g	111 g	524 g

Jerky

Bœuf, poulet ou jambon marinés et séchés fournissent une excellente source de protéines. Avec une déshydratation incomplète, la texture habituellement croustillante se rapproche plutôt de la semelle de botte, et la durée de conservation s'en trouve de beaucoup diminuée. Si la marinade est suffisamment assaisonnée, inutile d'ajouter du sel lors de la consommation. Une marinade bien corsée et suffisamment salée fera sortir l'eau de la viande par osmose et le mariage de la saveur de l'épice avec la viande aura lieu.

Ingrédients

1 kg (2 lb) de bœuf extra maigre tranché très mince (2 mm). Le bœuf utilisé pour faire de la fondue est un excellent choix. Ou 1 kg (2 lb) de blanc de poulet tranché très mince. Utiliser la partie la plus maigre du poulet; il est plus facile de la trancher après l'avoir fait partiellement congeler. Ou 1 kg (2 lb) de jambon cuit et taillé en lanières très minces. Choisir un jambon entier cuit, enlever toute la partie visible de gras avant de le faire mariner. Préparation d'une marinade (voir le choix de marinades).

Mode de préparation

Arroser la viande avec la marinade. Mélanger afin que toutes les surfaces de la viande soient imbibées. Laisser reposer 48 heures au réfrigérateur en prenant bien soin de remuer la viande aux 6 heures. Égoutter. Déshydrater (voir la technique de déshydratation au chapitre 5).

Choix de marinades

Marinade à l'orientale (poulet)

125 ml (1/2 tasse) de tamari (ou sauce soya)
45 ml (3 c. à soupe) de sirop d'érable
30 ml (2 c. à soupe) de gingembre frais haché finement ou râpé
2 gousses d'ail pressées
1 ml (1/4 c. à thé) de poivre noir

Mélanger tous les ingrédients et faire mariner les morceaux de poulet au réfrigérateur.

Marinade au vin rouge (bœuf)

125 ml (1/2 tasse) de vin rouge
1 oignon moyen haché finement
sel et poivre au goût
bouquet garni (thym, sarriette, marjolaine)
1 gousse d'ail pressée

Mélanger tous les ingrédients et faire mariner les morceaux de bœuf, au réfrigérateur.

Marinade à l'érable (jambon)

125 ml (1/2 tasse) de sirop d'érable
30 ml (2 c. à soupe) d'eau

Faire bouillir le sirop d'érable et l'eau. Plonger les lanières de jambon dans le sirop bien chaud. Amener à ébullition. Laisser mijoter 30 minutes. Égoutter le jambon. Déshydrater en suivant les indications au chapitre 5. Le jerky de jambon ne se conserve pas plus de 5 à 7 jours; il rancit vite à cause de sa haute teneur en gras.

Recommandation

Ne jamais utiliser d'huile comme ingrédient dans une marinade pour jerky, car l'huile empêche la déshydratation et le jerky rancit très rapidement.

Rendement :
1 kg de viande donne
5 grosses portions.

Valeur nutritive d'une portion	jerky de bœuf	jerky de poulet	jerky de jambon
Calories	327 kcal	207 kcal	212 kcal
Protéines	56 g	46 g	33,3 g
Lipides	7 g	2,5 g	5,6 g
Glucides	10 g	0 g	7,4 g
Cholestérol	81 mg	116 mg	111 mg
Fibres	0 g	0 g	0 g
Fer	5,4 mg	1,4 mg	1,3 mg
Calcium	11 mg	15 mg	7 mg
Poids sec	50 g	50 g	50 g

Petits pains aux légumes

Au cours de mes nombreuses sorties en plein air avec mes étudiants, je me fais un plaisir de goûter à leurs spécialités et un jour j'ai eu un coup de cœur pour cette recette particulière dont voici ma version personnelle. Y goûter, c'est une tranche de vie !

Ingrédients

125 ml (1/2 tasse) de brocoli haché finement
125 ml (1/2 tasse) de courgette râpée
125 ml (1/2 tasse) de carottes râpées
1 oignon haché finement
125 ml (1/2 tasse) de fromage parmesan fraîchement râpé finement
15 ml (1 c. soupe) de persil frais haché finement
1 gousse d'ail fraîchement pressée
300 ml (1 1/4 tasse) de farine de blé entier
15 ml (1 c. à soupe) de levure chimique («poudre à pâte»)
5 ml (1 c. à thé) d'origan séché
2 ml (1/2 c. à thé) de sel
1 ml (1/4 c. à thé) de thym séché
6 œufs
125 ml (1/2 tasse) d'huile de canola ou d'arachide

Je suis toujours en bonne compagnie avec mes étudiants. Notre grand plaisir est de pique-niquer au bord d'un cours d'eau en partageant nos spécialités culinaires.

Mode de préparation

Préchauffer le four à 190 °C (375 °F). Dans un grand bol, mélanger brocoli, courgette, carottes, oignon, fromage, persil et ail. Réserver. Dans un autre bol, mêler les ingrédients secs et les ajouter au mélange de légumes. Bien remuer. Battre les œufs tout en ajoutant l'huile et les incorporer aussitôt au mélange. Remuer pour bien humecter le mélange. Remplir aux deux tiers les moules à muffins graissés. Cuire de 20 à 25 minutes ou jusqu'à ce qu'un couteau enfoncé au centre du muffin en ressorte propre. Démouler et laisser refroidir sur une grille quelques heures pour une meilleure conservation. Se conserve, au frais, plus d'une semaine.

171

Valeur nutritive d'un petit pain	
Calories	191 kcal
Protéines	6,6 g
Lipides	13 g
Glucides	12 g
Cholestérol	163 mg
Fibres	3,2 g
Fer	1,7 g
Calcium	125 mg
Poids total	72 g

Savoureux et pratiques pour le pique-nique ou la randonnée de fin de semaine, ils accompagnent parfaitement un Chili ou un potage, ou encore comme sandwich garni de cretons maison ou nature en simple collation. Les transporter dans des contenants de plastique pour éviter de les aplatir.

Rendement : 12 petits pains

Cretons de ma mère

J'avais six ans. Mon père venait d'acheter l'école de rang pour loger la famille. Notre nouvelle maison comptait trois pièces et demie réparties sur deux étages. Les sept enfants dormaient au deuxième dans un immense dortoir où l'ameublement se résumait aux lits installés près des fenêtres dénudées. Chacun accrochait ses vêtements à des clous, quatre par enfant, sans jamais se préoccuper du pliage. Au premier étage, la chambre des parents et les toilettes se trouvaient cloisonnées à gauche en rentrant. Au beau milieu de la grande place chauffait un poêle à bois. Ma mère y faisait la cuisine de façon simple et merveilleuse et l'odeur de ses plats suivait le rythme des saisons. Les cretons faisaient partie du quotidien. Elle les servait avec son pain de ménage.

Ingrédients

250 g (1/2 lb) de veau haché extra maigre

250 g (1/2 lb) de porc haché extra maigre

250 ml (1 tasse) de lait écrémé

125 ml (1/2 tasse) de chapelure de pain complet

1 oignon haché finement

2 gousses d'ail pressées

2 ml (1/2 c. à thé) de muscade

1 ml (1/4 c. à thé) de clou de girofle

2 ml (1/2 c. à thé) de sel

5 ml (1 c. à thé) de poivre vert (l'écraser dans un mortier)

Valeur nutritive d'une portion de 60 ml (1/4 tasse)	
Calories	116 kcal
Protéines	14,6 g
Lipides	3 g
Glucides	7,6 g
Cholestérol	42 mg
Fibres	0,7 g
Fer	1 mg
Calcium	63 mg
Poids total	111 g

Mode de préparation

Cuire le tout dans une poêle profonde sur feu doux en remuant souvent. La cuisson peut se faire aussi au micro-ondes, en remuant souvent le mélange pour une cuisson uniforme. Une fois le mélange bien cuit, le passer au robot jusqu'à ce que la texture devienne granuleuse mais pas trop fine. Presser le mélange dans une terrine de 500 ml. Laisser refroidir et déposer au réfrigérateur. Se conserve deux semaines au frais.

VARIANTE : le veau peut être remplacé par du lapin, du lièvre, de l'orignal ou du caribou.

Rendement : 500 ml (2 tasses)

173

Salade de pommes de terre à la norvégienne

J'ai découvert cette salade chez un Norvégien à Longyearbyen au Spitzberg, au nord-est du Groenland. Ce soir-là, il y avait aussi du hareng frais mariné, de grosses crevettes grises, du caviar, du champagne et beaucoup d'amour ! Cette salade raffinée se prépare pour un pique-nique. Elle se conserve deux jours dans le sac à dos, pourvu qu'il fasse frais, dans des conditions automnales par exemple.

Je viens de réaliser un rêve : skier dans l'Arctique au printemps.

Ingrédients

500 g de petites pommes de terre
250 ml (1 tasse) de vinaigre de cidre
1 gros oignon
15 ml (1 c. à soupe) de persil frais
15 ml (1 c. à soupe) de cerfeuil frais
15 ml (1 c. à soupe) d'estragon frais
15 ml (1 c. à soupe) de ciboulette fraîche
Mayonnaise moutardée :
2 jaunes d'œufs
10 ml (2 c. à thé) de moutarde forte
2 ml (1/2 c. à thé) de vinaigre de cidre
sel et poivre au goût
125 ml (1/2 tasse) d'huile d'arachide

Valeur nutritive d'une portion	
Calories	411 kcal
Protéines	4,3 g
Lipides	30 g
Glucides	31 g
Cholestérol	106 mg
Fibres	5 g
Fer	1,2 mg
Calcium	33 mg
Poids total	246 g

Mode de préparation

Faire cuire à la vapeur les pommes de terre avec la peau. Les éplucher encore chaudes et les trancher en rondelles suffisamment épaisses pour qu'elles ne se brisent pas. Les placer dans un bol creux. Les arroser de vinaigre de cidre puis les laisser attendre au frais. Émincer l'oignon et ciseler toutes les herbes. Réserver. Préparer la mayonnaise : sortir les ingrédients à l'avance pour qu'ils soient à la température ambiante. Mélanger dans un bol les jaunes d'œufs, la moutarde, le sel et le poivre. Petit à petit, en fouettant toujours dans le même sens, verser l'huile jusqu'à ce que l'émulsion soit bien homogène. Ajouter quelques traits de vinaigre de cidre. Verser la mayonnaise sur les pommes de terre, en prenant soin que chaque rondelle soit bien enrobée. Ajouter l'oignon et les herbes.

Rendement : 1 l soit 4 portions de 250 ml (1 tasse)

Taboulé aux raisins

Pour un pique-nique à saveur de soleil… Agrémenté de sardines, d'hoummos et de pain pita, le taboulé compose un repas superbe et des plus simples.

Ingrédients

180 ml (3/4 tasse) de couscous
le jus de 3 citrons
1 petit concombre émincé
4 tomates fraîches
4 échalotes
1 bouquet de menthe fraîche
15 ml (1 c. à soupe) de persil
30 ml (2 c. à soupe) de raisins secs de Corinthe
sel et poivre noir
45 ml (3 c. à soupe) d'huile d'olive

Mode de préparation

Dans un saladier, mettre le couscous et le jus des citrons. Laisser reposer 15 minutes. Peler le concombre, épépiner les tomates et les couper en dés. Hacher les échalotes, la menthe et le persil. Ajouter les légumes, les herbes et les raisins secs. Saler et poivrer. Mélanger et laisser reposer une nuit au réfrigérateur.

Avant de servir, rectifier l'assaisonnement et ajouter l'huile d'olive. Servir frais.

Rendement : 6 portions

Valeur nutritive d'une portion	
Calories	183 kcal
Protéines	4 g
Lipides	7 g
Glucides	26 g
Cholestérol	0 mg
Fibres	3 g
Fer	2 mg
Calcium	27 mg
Poids total	199 g

175

Pizza Babankova

Un jour, mon amie Pétra Babankova m'a préparé une pizza style tchèque. J'ai refait la recette des dizaines de fois en remplaçant les cœurs de palmier par différents aliments comme de grosses crevettes cuites, des anchois, des mini-boulettes de veau cuites, des olives... Préparée la veille, elle constitue un festin de première journée en randonnée.

Ingrédients

GARNITURE :
45 ml (3 c. à soupe) d'huile d'arachide
1 oignon tranché finement
4 tomates hachées en cubes
1 échalote hachée finement
15 ml (1 c. à soupe) de persil haché très fin
1 poivron vert coupé en cubes
250 ml (1 tasse) de cœurs de palmier coupés en quatre (facultatif)
15 ml (1 c. à soupe) de basilic frais haché finement

PÂTE :
2 œufs
125 ml (1/2 tasse) d'huile d'arachide
500 ml (2 tasses) de lait écrémé
60 ml (1/4 tasse) de fromage parmesan fraîchement râpé
185 ml (3/4 tasse) de farine complète
1 ml (1/4 c. à thé) de sel
30 ml (2 c. à soupe) de levure chimique («poudre à pâte»)

Mode de préparation

Chauffer le four à 180 °C (350 °F). Préparer la garniture : cuire les oignons et les tomates dans l'huile jusqu'à ce qu'ils soient tendres. Ajouter les échalotes, le persil et les cubes de poivron vert. Cuire 1 minute. Ajouter les cœurs de palmier ou autres aliments au choix, ainsi que le basilic. Réserver.

Préparer la pâte : dans un bol creux, mélanger à l'aide d'un fouet les œufs, l'huile et le lait. Ajouter le fromage, la farine, le sel et la levure chimique et mélanger rapidement à l'aide d'une fourchette. Déposer la pâte dans une lèchefrite bien graissée de 25 x 30 cm (10 x 12 po). Égoutter la garniture de légumes avant de l'étendre sur la pâte. Cuire au four de 45 minutes à 1 heure.

VARIANTE : remplacer les cœurs de palmier par des fruits de mer, des morceaux de poulet cuit...

POUR APPORTER EN PLEIN AIR : emballer les morceaux de pizza dans un contenant rigide afin d'en conserver la forme.

Rendement : 8 portions

Valeur nutritive d'une portion	
Calories	317 kcal
Protéines	8 g
Lipides	21 g
Glucides	24 g
Cholestérol	56 mg
Fibres	3 g
Fer	2 mg
Calcium	294 mg
Poids total	212 g

À la table d'Odile

Farce à tartiner

Les enfants peuvent farcir eux-mêmes leur pain pita avec cette garniture rafraîchissante et colorée. Pour pique-nique seulement, car ce mélange a besoin d'être réfrigéré.

Ingrédients

4 œufs à la coque, bien cuits
250 ml (1 tasse) de fromage cheddar moyen ou fort
250 ml (1 tasse) de poivron rouge
250 ml (1 tasse) de céleri
180 ml (3/4 tasse) d'olives farcies
180 ml (3/4 tasse) d'échalote hachée finement
1 ml (1/4 c. à thé) d'assaisonnement au chili
60 ml (1/4 tasse) de sauce au chili

Mode de préparation

Briser les œufs à l'aide d'une fourchette. Râper le fromage. Couper le poivron, le céleri et les olives en cubes très fins. Ajouter l'échalote, l'assaisonnement et la sauce au chili. Mélanger tous les ingrédients ensemble. Garnir les pains pita.

Rendement : 6 portions

Valeur nutritive d'une portion	
Calories	126 kcal
Protéines	11 g
Lipides	6 g
Glucides	7 g
Cholestérol	141 mg
Fibres	14 g
Fer	0,7 mg
Calcium	195 mg
Poids total	11 g

Soupe du pèlerin

Au moment où je termine mon manuscrit, Michelle, mon indispensable collaboratrice à la correction du texte de ce livre, part en randonnée pédestre sur un sentier du Moyen-Âge datant de l'an 1022; elle marchera de Bordeaux jusqu'au cap Finisterre (la fin de la terre) en Espagne, après avoir traversé les Pyrénées et séjourné à Saint-Jacques-de-Compostelle, lieu de pèlerinage, ce qui totalise 940 km. Je lui ai préparé cette soupe nourrissante et énergétique.

Ingrédients

125 ml (1/2 tasse) de lentilles orange (elles cuisent en 8 minutes)
15 ml (1 c. à soupe) d'oignon en flocons
5 ml (1 c. à thé) de persil séché
60 ml (1/4 tasse) de poudre de bouillon*
125 ml (1/2 tasse) de carotte râpée déshydratée ou fraîche
6 morceaux de tomates séchées hachées finement
1 ml (1/4 c. à thé) de thym
2 ml (1/2 c. à thé) de marjolaine
125 ml (1/2 tasse) de gruyère râpé et séché

*On trouve de la poudre de bouillon sans GMS (glutamate monosodique) dans les magasins d'alimentation naturelle. Les trois saveurs, soit de poulet, de bœuf et de légumes, sont disponibles.

Mode de préparation

À LA MAISON : emballer tous les ingrédients secs dans un sac de plastique, excepté le gruyère mis dans un sac à part.

AU CAMPING : verser les ingrédients secs dans 1 litre d'eau bouillante. Cuire 5 minutes à couvert. Laisser reposer 5 minutes. Les lentilles orange deviennent plus pâles à la cuisson. Verser dans les gamelles individuelles et saupoudrer de fromage, juste au moment de servir.

Rendement : 4 portions de 250 ml

Valeur nutritive d'une portion	
Calories	180 kcal
Protéines	11 g
Lipides	8,4 g
Glucides	15 g
Cholestérol	27 mg
Fibres	4,7 g
Fer	1,2 mg
Calcium	275 mg
Poids total	75 g

179

Soupe orientale

Soupe à saveur de miso. Ce condiment-aliment, au goût pénétrant, s'utilise quotidiennement en Chine et au Japon, mais il n'est popularisé en Occident que depuis quelques années par les restaurants asiatiques et les adeptes du régime alimentaire macrobiotique. Vendu sous forme de pâte, le miso est obtenu après plus de six mois de fermentation du soya (Hatcho-miso) avec du riz (Kome-miso) ou de l'orge (Mugui-miso). Pasteurisé et très salé, il se conserve, sans réfrigération, pour une durée indéfinie. Disponible dans les marchés d'alimentation naturelle. On peut faire cette soupe à la maison avec des ingrédients frais ou en camping en utilisant des ingrédients secs ou déshydratés.

Ingrédients

Valeur nutritive d'une portion	
Calories	88 kcal
Protéines	6 g
Lipides	0,4 g
Glucides	15 g
Cholestérol	43 mg
Fibres	0,5 g
Fer	2,2 mg
Calcium	37 mg
Poids total	45 g

100 g de vermicelle de riz

2 ml (1/2 c. à thé) d'ail en poudre ou une gousse d'ail fraîchement pressée

1 ml (1/4 c. à thé) de gingembre en poudre ou 5 ml (1 c. à thé) de gingembre frais

15 ml (1 c. à soupe) de ciboulette séchée ou fraîche

15 ml (1 c. à soupe) de persil séché ou frais

5 ml (1 c. à thé) de menthe poivrée séchée ou fraîche

15 ml (1 c. à soupe) de zeste de citron séché ou frais

15 ml (1 c. à soupe) de poivron rouge en flocons ou 1/2 poivron frais

125 ml (1/2 tasse) de grosses crevettes déshydratées ou fraîches

30 ml (2 c. à soupe) de pâte de miso salé*

*On peut remplacer le miso par 30 ml de poudre de bouillon de légumes.

Mode de préparation

À LA MAISON : emballer tous les ingrédients secs dans un sac de plastique, la pâte de miso à part.

AU CAMPING : verser les ingrédients secs dans 1 litre d'eau bouillante. Cuire 5 minutes à couvert. Retirer du feu. Diluer la pâte de miso avec un peu de bouillon chaud et le rajouter à la soupe; le miso ne doit pas bouillir afin de conserver toute sa valeur nutritive. Laisser reposer 10 minutes.

Rendement : 4 portions de 250 ml

Potage de haricots

J'ai préparé une centaine de plats pour un couple de végétariens qui ont marché le sentier des Appalaches, soit 3500 km en 6 mois. Ce potage rassasiant s'est révélé très pratique pour combler leurs besoins en protéines. Lorsqu'ils descendaient à l'épicerie d'un village le long du parcours, ils se permettaient d'ajouter une boîte de tomates dans ce potage.

Ingrédients

250 ml (1 tasse) de haricots noirs cuits et déshydratés *****

60 ml (1/4 tasse) de riz précuit

125 ml (1/2 tasse) de carottes râpées déshydratées ou une carotte moyenne

125 ml (1/2 tasse) de poivron vert déshydraté ou un poivron frais coupé en petits cubes

15 ml (1 c. à soupe) d'oignon en flocons

30 ml (2 c. à soupe) de poudre de bouillon******

2 ml (1/2 c. à thé) d'ail en poudre ou une gousse pressée

6 tomates séchées hachées grossièrement

15 ml (1 c. à soupe) de persil séché

1 feuille de laurier

2 ml (1/2 c. à thé) de thym

125 ml (1/2 tasse) de fromage gruyère râpé sur place

Valeur nutritive d'une portion	
Calories	192 kcal
Protéines	11 g
Lipides	4 g
Glucides	28 g
Cholestérol	8 mg
Fibres	7 g
Fer	3 mg
Calcium	183 mg
Poids total	47 g

* Peut être remplacé par une boîte de haricots noirs en conserve ou n'importe quelle autre légumineuse.
** On trouve de la poudre de bouillon sans GMS (glutamate monosodique) dans les magasins d'alimentation naturelle. Les trois saveurs, soit de poulet, de bœuf et de légumes, sont disponibles.

Mode de préparation

À LA MAISON : emballer tous les ingrédients dans un sac de plastique, à l'exception du bloc de fromage; placer celui-ci dans un sac de plastique troué pour laisser passer l'air et l'humidité.

AU CAMPING : verser tous les ingrédients secs dans 1 litre d'eau bouillante. Faire mijoter pendant 8 minutes. Retirer du feu et laisser reposer 10 minutes. Écraser les légumineuses comme pour faire une purée. Râper le fromage et en recouvrir chaque portion de potage.

Rendement : 4 portions

181

Près du campement dans la baie d'Ungava, à l'extrémité du fjord Alluviak, la pêche à l'omble de l'Arctique est très satisfaisante. J'en ai mangé à volonté.

Notre menu est agrémenté par la truite saumonée peuplant les nombreux lacs groenlandais.

Chaudrée de mer

Servie comme potage mais assez consistante pour remplacer le plat principal, cette chaudrée se prépare aussi avec du poisson frais; on l'accompagne de pain complet frotté d'ail et grillé sur feu de bois. Savoureux à souhait. Il s'agit d'une recette pour les initiés, car il faut déshydrater les fruits de mer.

Ingrédients

30 ml (2 c. à soupe) de poireaux en rondelles déshydratés
15 ml (1 c. à soupe) d'oignon en morceaux déshydraté
15 ml (1 c. à soupe) de persil séché
60 ml (1/4 de tasse) de pétoncles déshydratés
60 ml (1/4 de tasse) de crevettes déshydratées
60 ml (1/4 de tasse) de sole ou de morue déshydratée
30 ml (2 c. à soupe) de poudre de bouillon de légumes*
15 ml (1 c. à soupe) de poivron rouge en flocons
10 ml (2 c. à thé) de safran ou 1 ml (1/4 c. à thé) de curcuma
1 ml (1/4 c. à thé) de poivre blanc
125 ml (1/2 tasse) de flocons de pommes de terre
250 ml (1 tasse) de lait en poudre

*On trouve de la poudre de bouillon sans GMS (glutamate monosodique) dans les magasins d'alimentation naturelle. Les trois saveurs, soit de poulet, de bœuf et de légumes, sont disponibles.

Mode de préparation

À LA MAISON : emballer les 10 premiers ingrédients dans un sac de plastique, les flocons de pommes de terre et le lait en poudre dans un deuxième sac.

AU CAMPING : verser les premiers ingrédients secs dans 1 l (4 tasses) d'eau froide. Amener doucement à ébullition. Laisser mijoter 8 minutes. Verser le lait et les flocons de pommes de terre, bien remuer. Laisser reposer 5 minutes pour que la soupe épaississe légèrement. Pour une chaudrée plus consistante, rajouter 1/2 tasse de flocons de pommes de terre.

Valeur nutritive d'une portion	
Calories	323 kcal
Protéines	39 g
Lipides	3 g
Glucides	35 mg
Cholestérol	94 g
Fibres	2 g
Fer	3 mg
Calcium	302 mg
Poids total	95 g

Rendement : 4 grosses portions de 300 ml

À la table d'Odile

Salade de carottes et raisins

Quand j'ai préparé la nourriture pour Jean-Pierre Danvoye, ce grand photographe qui nous fait voir le monde de façon unique, et toute son équipe pour l'ascension de la plus belle montagne du monde, l'Ama Dablam au Népal, j'ai eu l'idée d'inclure une salade au menu. À leur grand étonnement, ils ont apprécié le goût de fraîcheur de cette salade et ils ont découvert qu'en l'ajoutant à un bouillon clair, ils obtenaient une excellente soupe.

Ingrédients

250 ml (1 tasse) de carottes râpées finement et déshydratées

60 ml (1/4 tasse) de raisins de Corinthe

15 ml (1 c. à soupe) de persil séché

5 ml (1 c. à thé) de ciboulette

sel et poivre au goût

vinaigrette ou mayonnaise en portions individuelles utilisées par les restaurateurs ou vinaigrette à la moutarde de Dijon, transportée dans un contenant étanche

Mode de préparation

À LA MAISON : emballer tous les ingrédients secs ensemble dans un sac de plastique.

AU CAMPING : déposer les ingrédients secs dans un bol. Recouvrir d'eau et laisser tremper pendant 20 minutes. Égoutter. Ajouter la vinaigrette.

Rendement : 2 portions

Valeur nutritive d'une portion (sans la vinaigrette)	
Calories	164 kcal
Protéines	3 g
Lipides	0 g
Glucides	38 g
Cholestérol	8 mg
Fibres	8 g
Fer	2 mg
Calcium	78 mg
Poids total	55 g

Rafaello aux crevettes et à l'ail

Ma toute première expédition, à la fin de mes études, s'est passée en Alaska, en randonnée pédestre avec une dizaine d'amis. J'en étais à mes débuts en déshydratation. Ce plat me rappelle une belle fin de soirée sous un ciel coloré d'aurores boréales au camping du parc national du mont McKinley.

Ingrédients

200 g de pâtes rafaello
50 g (1/2 tasse) de crevettes déshydratées ou lyophilisées (ou 1 tasse si elles sont fraîches)
5 ml (1 c. à thé) d'ail en poudre (ou 2 gousses d'ail)
125 ml (1/2 tasse) de lait en poudre
60 ml (1/4 tasse) de carottes râpées déshydratées (ou une petite carotte fraîche)
30 ml (2 c. à soupe) de poivron rouge doux en flocons (ou 1/2 poivron frais)
30 ml (2 c. à soupe) de céleri haché déshydraté
10 ml (2 c. à thé) de persil séché
5 ml (1 c. à thé) de ciboulette séchée
15 ml (1 c. à soupe) de poudre de bouillon*
poivre

* On trouve de la poudre de bouillon sans GMS (glutamate monosodique) dans les magasins d'alimentation naturelle. Les trois saveurs, soit de poulet, de bœuf et de légumes, sont disponibles.

Mode de préparation

À LA MAISON : emballer les pâtes dans un sac à part. Tous les autres ingrédients sont emballés dans un deuxième sac de plastique.

AU CAMPING : faire bouillir 3 l (12 tasses) d'eau pour y faire cuire les pâtes, puis égoutter celles-ci. Récupérer environ 250 ml (1 tasse) de l'eau de cuisson des pâtes pour hydrater le reste des ingrédients. Verser les ingrédients secs dans l'eau bouillante. Mettre le couvercle. Laisser réhydrater pendant 15 minutes. Ajouter les pâtes cuites et remettre sur le feu, le temps de réchauffer seulement.

Rendement : 2 portions

Valeur nutritive d'une portion	
Calories	521 kcal
Protéines	29 g
Lipides	2,3 g
Glucides	96 g
Cholestérol	63 mg
Fibres	3,8 g
Fer	5,3 mg
Calcium	266 mg
Poids total	133 g

Spaghetti alpin

Cette recette me rappelle une soirée fraîche au bord du lac Kluane au Yukon : partout autour de nous, on lisait sur de grandes affiches «Attention ! Grizzly achalant !» Pendant le repas, nous avons entendu les gémissements d'une chèvre de montagne. Elle était au menu ce soir-là. Nous avons vu l'achalant se régaler.

Ingrédients

220 g de pâtes spaghetti ou spaghettini
2 ml (1/2 c. à thé) de sel
30 ml (2 c. à soupe) d'huile d'olive vierge, pressée à froid
15 ml (1 c. à soupe) de persil séché
5 ml (1 c. à thé) de basilic séché
2 gousses d'ail ou 1 ml (1/4 c. à thé) de poudre d'ail
sel et poivre
150 g (2/3 tasse) de parmesan frais (en un morceau emballé sous vide)

Mode de préparation

À LA MAISON : utiliser 3 sacs pour emballer, séparément, les pâtes avec le sel, les assaisonnements et le parmesan. Le sel est placé dans le sac de plastique contenant les pâtes afin qu'elles cuisent dans l'eau salée. Transporter l'huile dans une mini bouteille en plastique.

AU CAMPING : faire bouillir 3 l (12 tasses) d'eau pour y faire cuire les pâtes, puis égoutter celles-ci. Râper le parmesan. Le fromage ne peut être râpé avant de partir, car l'humidité résiduelle le fera moisir. Mélanger l'huile d'olive, l'ail pressé ou haché finement, le persil, le basilic, le sel et le poivre. Ajouter ce mélange aux pâtes cuites, remuer. Garnir de parmesan.

Rendement : 2 portions

Valeur nutritive d'une portion	
Calories	311 kcal
Protéines	11 g
Lipides	11 g
Glucides	42 g
Cholestérol	8 mg
Fibres	1,4 g
Fer	2,5 mg
Calcium	154 mg
Poids total	65 g

185

Linguine au prosciutto

Mes recettes contiennent très rarement du jambon. Je n'aime pas toutes ces charcuteries contenant des sels de nitrate. Exceptionnellement, pour faire plaisir à mes amis français, en Terre de Baffin, en avril, je leur ai offert ce plat après la plus longue journée de ski, soit les 35 km sur la rivière Weasel. Alors ce soir-là, j'ai vu des hommes se rassasier... Ceux qui hésitent comme moi peuvent remplacer le jambon par du prosciutto, un vrai jambon italien salé avec du sel pur et séché à l'air de la région de Parme.

Ingrédients

220 g de pâtes linguine aux œufs

1 ml (1/4 c. à thé) de sel

180 ml (3/4 tasse) de prosciutto coupé en fines lanières
ou de jambon déshydraté

30 ml (2 c. à soupe) d'huile d'olive

15 ml (1 c. à soupe) de persil séché

1 ml (1/4 c. à thé) de sel

1 ml (1/4 c. à thé) de poivre

le zeste d'un demi-citron râpé finement *

Valeur nutritive d'une portion	
Calories	852 kcal
Protéines	57 g
Lipides	32 g
Glucides	84 g
Cholestérol	285 mg
Fibres	3 g
Fer	7,1 mg
Calcium	441 mg
Poids total	180 g

*Pour une expédition, le zeste râpé peut être séché au four à 65 °C (150 °F) (une trentaine de minutes). Après séchage, il reste suffisamment de saveur pour parfumer les pâtes.

Mode de préparation

À LA MAISON : verser l'huile dans une bouteille étanche et mettre dans 4 petits sacs différents :

1. les pâtes et le sel
2. le jambon ou prosciutto
3. le persil, le sel et le poivre
4. le zeste de citron

AU CAMPING : faire bouillir 3 l (12 tasses) d'eau pour y faire cuire les pâtes, puis égoutter celles-ci. Si vous utilisez le jambon, récupérez 250 ml (1 tasse) de l'eau de cuisson des pâtes pour le réhydrater. Entre-temps, faire chauffer légèrement l'huile d'olive dans une poêle, y ajouter le jambon réhydraté ou le prosciutto et les assaisonnements, faire cuire quelques minutes. Ajouter les pâtes cuites et le zeste en remuant.

186

Rendement : 2 portions

Orzo aux légumes verts

Depuis quelques années, une expédition en rabaska sur la rivière Toulnustouc marque la fin de mes vacances d'été. En équipes de 6 dans ces canots d'eau vive, les journées passent à défier les rapides avec la force de nos bras et à contrôler la vitesse de descente. Cette rivière de la Côte-Nord, bordée sur plusieurs kilomètres par des escarpements rocheux fait rêver tout alpiniste. Parsemée d'îles aux plages de sable blanc, elle invite à s'arrêter pour monter le camp, à pêcher la truite en rêvant et à se retrouver autour du feu de camp. On s'endort bercé par les hurlements du loup... À saveur de poivre vert, ce plat de pâtes italiennes en forme de grains de riz, garni de légumes encore frais et complété par le poisson du jour grillé, réjouit tous les campeurs. Les légumes transportés dans un baril placé dans la rivière chaque soir demeurent frais de plusieurs jours à quelques semaines.

À 500 km au nord de Baie-Comeau, sur une des plages de la rivière Toulnustouc, la truite mouchetée grillée sur la braise accompagne l'orzo aux légumes verts.

Ingrédients

500 g de pâtes langues d'oiseau (ou orzo)
30 ml (2 c. à soupe) de bouillon en poudre*
15 ml (1 c. à soupe) de persil plat italien
1 oignon moyen
1 courgette
2 branches de céleri
250 ml (1 tasse) de pois mange-tout
1 poivron vert en dés
poivre vert (une dizaine de baies)**
30 ml (2 c. à soupe) d'huile d'olive
poisson du jour !

*On trouve de la poudre de bouillon sans GMS (glutamate monosodique) dans les magasins d'alimentation naturelle. Les trois saveurs, soit de poulet, de bœuf et de légumes, sont disponibles.
**Le poivre vert est disponible sous forme de baies fraîches conservées dans une saumure. Elles dégagent plus de saveur si elles sont écrasées ou réduites en purée à l'aide d'une fourchette.

187

Mode de préparation

À LA MAISON : emballer l'orzo et la poudre de bouillon dans un sac de plastique. Les légumes sont transportés dans un baril et l'huile, dans une bouteille de plastique.

AU CAMPING : faire bouillir 1,5 l (6 tasses) d'eau. Mettre l'orzo et la poudre de bouillon dans l'eau bouillante. Cuire les pâtes de 8 à 10 minutes. Égoutter. Les légumes sont préparés en cubes ou en tranches et les pois mange-tout demeurent entiers. Faire chauffer l'huile, y faire revenir tous les légumes, ils doivent rester croquants. Ajouter le persil et le poivre vert préalablement réduit en purée. Mélanger et verser sur les pâtes. Accompagner du poisson du jour !

Rendement : 4 portions

Valeur nutritive d'une portion (sans poisson)	
Calories	312 kcal
Protéines	16 g
Lipides	16 g
Glucides	26 g
Cholestérol	21 mg
Fibres	4,6 g
Fer	3,4 mg
Calcium	81 mg
Poids total	300 g

Paella*

Pour vous faire plaisir... Pour un soir de fête... Parce que vous aimez les gens pour qui vous cuisinez...

Ingrédients

500 ml (2 tasses) de riz précuit
125 ml (1/2 tasse) de crevettes déshydratées
125 ml (1/2 tasse) de poulet déshydraté
8 morceaux de tomates séchées
30 ml (2 c. à soupe) de poivron rouge en flocons
30 ml (2 c. à soupe) de poivron vert en flocons
60 ml (1/4 tasse) de pois verts déshydratés
5 ml (1 c. à thé) de safran en poudre
15 ml (1 c. à soupe) d'oignon en flocons
5 ml (1 c. à thé) de paprika
60 ml (1/4 tasse) de poudre de bouillon de poulet**
sel et poivre

**On trouve de la poudre de bouillon sans GMS (glutamate monosodique) dans les magasins d'alimentation naturelle. Les trois saveurs, soit de poulet, de bœuf et de légumes, sont disponibles.

Mode de préparation

À LA MAISON : emballer tous les ingrédients dans un sac de plastique.

AU CAMPING : faire bouillir 2 l d'eau. Verser les ingrédients secs dans l'eau bouillante. Mettre le couvercle. Laisser mijoter jusqu'à ce que le bouillon soit presque totalement absorbé. La paella est prête à partager !

Rendement : 4 portions

* La paella est illustré à la page 128

Valeur nutritive d'une portion	
Calories	190 kcal
Protéines	16 g
Lipides	2 g
Glucides	27 g
Cholestérol	56 mg
Fibres	2,7 g
Fer	2,4 mg
Calcium	48 mg
Poids total	63 g

Fricassée du portageur

Créée pour le canot-camping. Quand on n'a pas le souci du poids de la nourriture à transporter et si on peut s'inventer un système de conservation de la nourriture dans l'eau fraîche du cours d'eau, les possibilités de menus s'accroissent sans limites. Sur feu de bois, le poulet mariné peut se cuire directement sur la grille ou en papillotes, emballé dans un papier aluminisé. L'odeur attire tous les campeurs !

Ingrédients

1 poitrine de poulet coupée en fines lamelles
30 ml (2 c. à soupe) d'huile de sésame
1 morceau de gingembre de 2 cm (3/4 po) pelé et haché très finement
2 ml (1/2 c. à thé) de poivre vert réduit en purée
125 ml (1/2 tasse) de bouillon de poulet bien concentré
30 ml (2 c. à soupe) de tamari
15 ml (1 c. à soupe) de miel ou sirop d'érable
4 brins de ciboulette coupés finement
15 ml (1 c. à soupe) de persil ciselé
3 abricots secs hachés finement
30 ml (2 c. à soupe) de graines de sésame
180 ml (3/4 tasse) de riz basmati

Mode de préparation

À LA MAISON : la veille du départ, mélanger tous les ingrédients à l'exception des graines de sésame et du riz. Transporter dans un récipient adéquat comme un pot hermétique avec couvercle qui visse. Cette marinade se conserve jusqu'à trois jours, même aux moments les plus chauds de l'été. Griller les graines de sésame dans un poêlon non huilé et les faire chauffer à feu moyen durant environ 5 minutes en remuant sans arrêt jusqu'à ce que les graines brunissent légèrement et qu'elles exhalent un arôme caractéristique de noix. Laisser refroidir sur une plaque et empaqueter dans un sac de plastique. Le riz est emballé séparément.

< Chez les Attikameks de la Manouane : la cuisson du potage de castor et du ragoût d'orignal pour célébrer l'anniversaire du chef de bande.

AU CAMPING : aller à la cueillette de deux ou trois sortes de champignons sauvages. Si vous ramassez plus de champignons que nécessaire, conservez-les, pour le lendemain, dans un sac de papier brun bien aéré (troué). Faire chauffer une poêle anti-adhésive. Faire suer les champignons dans un peu d'huile. Les champignons doivent rendre leur eau de végétation, sinon la fricassée sera trop mouillée. Verser tout le mélange de viande et de marinade sur les champignons. Saisir sur feu vif en remuant constamment. Le bouillon s'évaporera en grande partie, il en restera suffisamment pour que la viande reste mouillée. Surprenez votre équipe en servant cette fricassée sur l'aromatique riz basmati. Parsemer de graines de sésame grillées. Cette recette peut s'adapter pour les séjours en autonomie totale en remplaçant la marinade par de la poudre de bouillon reconstitué au campement et bien sûr en utilisant de la viande lyophilisée ou déshydratée.

Valeur nutritive d'une portion	
Calories	465 kcal
Protéines	58 g
Lipides	17 g
Glucides	20 g
Cholestérol	137 mg
Fibres	2 g
Fer	3 mg
Calcium	45 mg
Poids total	308 g

Rendement : 2 grosses portions

Riz parfumé

Pendant ma première expérience en altitude, soit l'ascension du volcan El Ruiz, en Colombie, nous avions mangé ce plat dans un refuge près du sommet. J'ai appris ce soir-là que le système digestif peut être inefficace à 4800 m, surtout quand on a grimpé un dénivelé de 3000 m dans la même journée. Les Colombiens qui couchaient dans le même refuge, voyant nos malaises, nous ont offert de respirer dans leur bonbonne d'oxygène pour quelques centaines de pesos à la minute. Nous nous sommes vite rendu compte que l'air dans la bonbonne n'était pas plus riche en oxygène que l'air environnant. Nous sommes redescendus rapidement, à l'aube, pour soulager notre ami souffrant de troubles digestifs et de maux de tête aigus. Chaque fois que je mange ce plat, je repense à cette aventure. À saveur tropicale, cette casserole de riz et d'ananas offre toute la couleur du Sud.

Ingrédients

500 ml (2 tasses) de riz précuit

250 ml (1 tasse) de légumes déshydratés (ou 1/2 tasse de légumes en flocons)

30 ml (2 c. à soupe) de poudre de bouillon*

125 ml (1/2 tasse) d'ananas déshydraté confit haché finement

250 ml (1 tasse) de petites boulettes de porc ou de morceaux de poulet déshydratés

5 ml (1 c. à thé) de moutarde sèche

1 ml (1/4 c. à thé) de gingembre en poudre

*On trouve de la poudre de bouillon sans GMS (glutamate monosodique) dans les magasins d'alimentation naturelle. Les trois saveurs, soit de poulet, de bœuf et de légumes, sont disponibles.

Mode de préparation

À LA MAISON : emballer tous les ingrédients ensemble.

AU CAMPING : faire mijoter 1 l (4 tasses) d'eau. Ajouter les ingrédients secs. Bien remuer et mettre le couvercle. Laisser mijoter pendant 5 minutes en mélangeant de temps à autre. Laisser reposer 15 minutes. Remettre sur le feu juste pour réchauffer. Idéal pour des soirées fraîches après une longue journée de randonnée pédestre en automne.

Rendement : 4 portions de 250 ml

Valeur nutritive d'une portion	
Calories	426 kcal
Protéines	32 g
Lipides	6 g
Glucides	61 g
Cholestérol	58 mg
Fibres	1,5 g
Fer	2,6 mg
Calcium	41 mg
Poids total	100 g

Riz aux canneberges

Devenue membre de l'Association québécoise regroupant les femmes œuvrant dans la restauration, j'apprends beaucoup sur les nouveaux produits alimentaires et la gastronomie. Lors de mon passage à North Hatley, chez la présidente Monique Racicot-Brassard, j'ai découvert les canneberges déshydratées dans une vinaigrette aux noix, servie sur des asperges de son potager. Divin ! Depuis, j'ai récupéré cette excellente idée pour en parfumer ce riz à la volaille.

Ingrédients

500 ml (2 tasses) de riz précuit
30 ml (2 c. à soupe) de poudre de bouillon de poulet*
60 ml (1/4 tasse) de légumes en flocons
125 ml (1/2 tasse) canneberges déshydratées
30 ml (2 c. à soupe) de champignons tranchés et séchés
15 ml (1 c. à soupe) de ciboulette déshydratée
250 ml (1 tasse) de dinde ou de poulet déshydraté
poivre
125 ml (1/2 tasse) de pignons (ou noix de pin) rôtis
huile de noix (facultatif)

*On trouve de la poudre de bouillon sans GMS (glutamate monosodique) dans les magasins d'alimentation naturelle. Les trois saveurs, soit de poulet, de bœuf et de légumes, sont disponibles.

Mode de préparation

À LA MAISON : emballer les huit premiers ingrédients ensemble. Emballer les pignons dans un autre sac.

AU CAMPING : faire mijoter 1 l (4 tasses) d'eau. Ajouter les ingrédients secs. Bien remuer et mettre le couvercle. Laisser mijoter pendant 5 minutes en mélangeant de temps à autre. Laisser reposer 15 minutes. Remettre sur le feu pour réchauffer. Ajouter les noix de pin juste au moment de servir ainsi que l'huile de noix. Ce plat se consomme aussi en salade froide.

Rendement : 4 portions de 250 ml

Valeur nutritive d'une portion	
Calories	428 kcal
Protéines	33 g
Lipides	8 g
Glucides	56 g
Cholestérol	42 mg
Fibres	2,5 g
Fer	5 mg
Calcium	82 mg
Poids total	130 g

Potée de lentilles

D'appellation d'origine contrôlée « Lentilles vertes du Puy » aux qualités gustatives reconnues, ces lentilles cuisent en 15 minutes. Le plat est encore plus savoureux s'il est accompagné d'un bon saucisson sec de grande qualité.

Ingrédients

100 g de saucisson sec tranché très mince

125 g soit 170 ml (2/3 tasse) de lentilles vertes du Puy nature

6 tomates séchées hachées finement

15 ml (1 c. à soupe) de poudre de bouillon*

15 ml (1 c. à soupe) d'oignon en flocons ou 1 oignon moyen haché finement

125 ml (1/2 tasse) de carottes en tranches minces déshydratées ou une carotte crue

15 ml (1 c. à soupe) de persil séché

*On trouve de la poudre de bouillon sans GMS (glutamate monosodique) dans les magasins d'alimentation naturelle. Les trois saveurs, soit de poulet, de bœuf et de légumes, sont disponibles.

Mode de préparation

À LA MAISON : emballer le saucisson dans un sac à part. Tous les autres ingrédients sont emballés dans un deuxième sac.

AU CAMPING : trancher le saucisson et le faire revenir dans une casserole. Les tranches deviennent légèrement grillées. Enlever le gras fondu. Ajouter tous les autres ingrédients. Laisser cuire une minute en remuant constamment. Ajouter 500 ml d'eau bouillante et laisser mijoter 15 minutes ou jusqu'à ce que le liquide soit presque tout absorbé et les lentilles bien tendres.

Rendement : 2 portions

Valeur nutritive d'une portion	
Calories	253 kcal
Protéines	16 g
Lipides	9 g
Glucides	27 g
Cholestérol	20 mg
Fibres	11,3 g
Fer	4,2 mg
Calcium	41 mg
Poids total	55 g

Chili au maïs

Le faire congeler dans des pots de plastique qui vissent et le sortir du congélateur juste au moment du départ; ainsi le Chili se conserve une journée dans le sac à dos et peut donc faire partie du menu d'été ou d'automne, en randonnée ou en canot.

Ingrédients

500 g (1 lb) de bœuf haché extra maigre *
2 branches de céleri finement haché
1 oignon finement haché
2 gousses d'ail
5 ml (1 c. à thé) de sel
850 ml (2 boîtes de 16 onces) de tomates en conserve
2 cubes de bouillon de légumes
5 ml (1 c. à thé) d'assaisonnement au chili
5 ml (1 c. à thé) de cumin moulu
10 ml (2 c. à thé) de sucre brun
680 ml (2 boîtes de 12 onces) de maïs en conserve
540 ml (1 boîte de 19 onces) de haricots rouges en conserve
1 poivron rouge coupé en gros morceaux
1 poivron vert coupé en gros morceaux

*Sans viande : ajouter 30 ml d'huile pour la cuisson des légumes.

Valeur nutritive d'une portion	
Calories	295 kcal
Protéines	18 g
Lipides	11 g
Glucides	31 g
Cholestérol	39 mg
Fibres	10,5 g
Fer	2,8 mg
Calcium	59 mg
Poids total	~300 g

Mode de préparation à la maison**

Dans une grande casserole, mélanger la viande, le céleri, l'oignon, l'ail et le sel (l'ajout d'huile est inutile puisque le gras de la viande sert d'antiadhésif en fondant). Cuire à feu doux en remuant fréquemment afin que la cuisson soit uniforme, que la viande soit bien cuite et les légumes tendres. Ajouter les tomates, les cubes de bouillon, l'assaisonnement au chili, le cumin et le sucre. Amener à ébullition et laisser mijoter 10 minutes. Ajouter le maïs, les haricots rouges et les morceaux de poivrons. Laisser mijoter de 7 à 10 minutes.

**Si vous prévoyez déshydrater le Chili, coupez finement les légumes lors de la préparation.

Rendement : 8 portions d'environ 300 ml

196

Pain aux graines

Je dois cette recette à Micheline Fortin, amoureuse de la randonnée pédestre et passionnée de cuisine. Elle rêve de marcher le sentier des Appalaches, avec son Claude. Préparé plus particulièrement pour les sorties de fin de semaine, ce pain aux graines accompagne et complémente le Chili au maïs de façon remarquable.

Ingrédients

300 ml (1 1/4 tasse) de farine de blé entier
60 ml (1/4 tasse) de son d'avoine
60 ml (1/4 tasse) de graines de tournesol
30 ml (2 c. à soupe) de graines de sésame
30 ml (2 c. à soupe) de graines de pavot
15 ml (1 c. à soupe) de sucre brun
10 ml (2 c. à thé) de levure chimique («poudre à pâte»)
1 ml (1/4 c. à thé) de sel
1 œuf
250 ml (1 tasse) de lait écrémé
15 ml (1 c. à soupe) d'huile de tournesol ou d'arachide

Mode de préparation

Chauffer le four à 190 °C (375 °F). Mélanger tous les ingrédients secs ensemble. Réserver. Dans un autre bol, battre l'œuf, le lait et l'huile. Incorporer au premier mélange en brassant rapidement. Verser dans un moule à pain de 8 x 20 cm (3 x 8 po) graissé. Cuire pendant 25 minutes. Laisser refroidir 15 minutes avant de démouler. Bien laisser refroidir avant de l'emballer dans un contenant de plastique pour le transport jusqu'au camping. Servir comme accompagnement au Chili. Ce pain se conserve quelques jours sans réfrigération.

Valeur nutritive d'une portion	
Calories	175 kcal
Protéines	6 g
Lipides	7 g
Glucides	22 g
Cholestérol	27 mg
Fibres	2,3 g
Fer	2 mg
Calcium	119 mg
Poids total	64 g

Rendement : 8 portions

Pudding au riz

Grâce à l'appui et à la confiance de Serge Brault, directeur des produits Outdoor Gourmet Plein Air chez Lyo-San, je réalise un projet dont je rêvais depuis longtemps : les adeptes du plein air peuvent se procurer des plats lyophilisés de grande qualité et faits au Québec pour leurs voyages d'aventure. C'est à lui que revient la sélection et la décision finale du choix des plats à commercialiser. Cette recette fait partie de la recherche des trois dernières années. Il accepte donc volontiers que je livre, ici, mon secret.

Ingrédients

375 ml (1 1/2 tasse) de riz précuit
80 ml (1/3 tasse) de lait en poudre
30 ml (2 c. à soupe) de cassonade
30 ml ou 28 g (2 c. à soupe) d'œufs lyophilisés
30 g de raisins de Corinthe
10 ml (2 c. à thé) de zeste d'orange séché
1 ml (1/4 c. à thé) de cannelle
1 ml (1/4 c. à thé) de muscade
5 ml (1 c. à thé) de vanille en poudre

Valeur nutritive d'une portion	
Calories	226 kcal
Protéines	6 g
Lipides	2 g
Glucides	46 g
Cholestérol	62 mg
Fibres	1 g
Fer	1,3 mg
Calcium	100 mg
Poids total	57 g

Mode de préparation

À LA MAISON : emballer tous les ingrédients secs dans un sac de plastique.

AU CAMPING : verser tous les ingrédients secs dans une casserole antiadhésive et ajouter 500 ml (2 tasses) d'eau froide. Bien remuer. Couvrir et amener à ébullition en remuant de temps à autre pour cuire uniformément. Retirer du feu et laisser reposer 20 minutes ou jusqu'à ce que tout le liquide soit absorbé.

VARIANTE : pour donner de la couleur, ajouter angélique confite, papaye ou abricots séchés coupés finement.

Rendement : 4 portions

198

Tapioca Altiplano

Cette recette originale de Pierre Gougoux a été baptisée ainsi pendant son expédition à vélo sur les plateaux andins autour du lac Titicaca. Selon Pierre, l'effet euphorisant du tapioca Altiplano croît avec l'altitude, surtout si on ajoute toutes les variantes ensemble à la recette de base. Le tapioca, plante tropicale originaire du Brésil, est un féculent extrait de la racine de manioc. Excellente source de bon sucre. Le tapioca se prépare au bain-marie.

Ingrédients

250 ml (1 tasse) de lait en poudre
75 g (1/2 tasse) de tapioca minute (instantané)
50 g (1/2 tasse) d'amandes en poudre
15 ml (1 c. à soupe) de sucre brut ou un mélange
      de fruits séchés (pommes, abricots et raisins)
1 ml (1/4 c. à thé) de vanille en poudre
      ou 5 ml (1 c. à thé) de vanille liquide
1 l (4 tasses) d'eau froide

Valeur nutritive d'une portion	
Calories	121 kcal
Protéines	4,6 g
Lipides	4,3 g
Glucides	16 g
Cholestérol	1,6 mg
Fibres	1,7 g
Fer	0,5 mg
Calcium	130 mg
Poids total	26 g

Mode de préparation

À LA MAISON : hacher très finement les fruits séchés. Emballer tous les ingrédients secs ensemble dans un sac.

AU CAMPING : verser le mélange de tapioca dans la partie supérieure d'un bain-marie. Ajouter 1 l (4 tasses) d'eau froide. Bien remuer à l'aide d'un fouet. Chauffer à feu doux jusqu'à ce que le mélange soit fumant, en remuant sans arrêt pour éviter la formation de grumeaux. Cuire jusqu'à ce que les granules de tapioca deviennent translucides. Retirer du feu. Couvrir et laisser reposer 10 minutes. Les petits granules de tapioca minute cuisent en peu de temps.

VARIANTE : À LA NOIX DE COCO ET AU GINGEMBRE : ajouter 30 ml (2 c. à soupe) de noix de coco non sucrée, grillée (préalablement à la maison) et quelques morceaux de gingembre confits au mélange de tapioca refroidi, juste au moment de servir.

AU CHOCOLAT : remplacer le sucre par 30 ml (2 c. à soupe) de poudre de chocolat sucré ou un morceau de chocolat sucré concassé.

AUX BANANES : ajouter 60 ml ou 50 g (1/4 tasse) de bananes séchées en tranches préalablement moulues (à la maison, à l'aide d'un moulin à café ou d'un robot) aux ingrédients secs.

199

Rendement : 8 portions de 1/2 tasse

Salade de fruits tiède en sirop

Dessert réconfortant, panaché de fruits secs réhydratés dans une infusion à la menthe poivrée, parsemé de noix de coco et d'amandes effilées dorées.

Ingrédients

1 tranche d'ananas confit
2 dattes Medjool
1 pêche déshydratée
1 poire (2 demies) non sulfurée déshydratée
4 pruneaux secs
1 sachet de menthe poivrée
60 ml (1/4 tasse) de noix de coco non sucrée, grillée
60 ml (1/4 tasse) d'amandes effilées grillées

Mode de préparation

À LA MAISON : faire griller la noix de coco et les amandes en les déposant dans une poêle antiadhésive non huilée, sur feu doux, et remuer fréquemment pour un grillage uniforme. Laisser refroidir et les emballer dans un sac de plastique. Emballer tous les fruits secs ensemble. Placer le sachet d'infusion à la menthe dans un troisième sac.

AU CAMPING : faire bouillir 250 ml (1 tasse) d'eau. Infuser la menthe poivrée. Déposer le mélange de fruits secs dans un bol creux ou profond. Recouvrir les fruits de l'infusion de menthe. Laisser reposer 30 minutes. Faire réchauffer sur feu doux. Verser les fruits tièdes et le sirop dans les gamelles individuelles, garnir de noix de coco et d'amandes effilées grillées. La salade de fruits se prépare au début du repas, de manière que la réhydratation s'effectue pendant celui-ci. Au moment du dessert, il ne reste qu'à la réchauffer.

Valeur nutritive d'une portion	
Calories	274 kcal
Protéines	3,5 g
Lipides	7,5 g
Glucides	48 g
Cholestérol	0 mg
Fibres	5,5 g
Fer	3,2 mg
Calcium	57 mg
Poids total	76,5 g

Rendement : 4 portions

Fruits secs épicés

Ce dessert très fortifiant convient spécialement en camping d'automne ou l'hiver en refuge. Préparer les fruits avant de cuire le plat principal. Ils seront d'autant meilleurs qu'ils auront trempé longtemps dans l'infusion.

Ingrédients

125 ml (1/2 tasse) de sucre brut ou de cassonade
30 ml (2 c. à soupe) de zeste de citron séché
2 ml (1/2 c. à thé) de cannelle moulue
1 ml (1/4 c. à thé) de clou de girofle moulu
1 ml (1/4 c. à thé) de muscade moulue
250 ml (1 tasse) d'un mélange d'abricots, poires, pommes et kiwis séchés coupés en petits morceaux
250 ml (1 tasse) d'eau bouillante

Mode de préparation

À LA MAISON : mettre le sucre, les épices et le zeste dans un sac. Emballer les fruits séchés dans un autre sac.

AU CAMPING : dans une casserole, ajouter le mélange d'épices et de sucre à l'eau. Faire cuire sur feu doux, en remuant constamment jusqu'à ce que le sucre soit dissous. Augmenter le feu, porter à ébullition sans remuer. Laisser bouillir 3 minutes. Ajouter les fruits et laisser cuire 5 minutes à feu doux en remuant délicatement pour éviter que le mélange ne colle. Retirer la casserole du feu et laisser reposer 20 minutes avant de déguster.

Rendement : 4 portions

Valeur nutritive d'une portion	
Calories	237 kcal
Protéines	1 g
Lipides	1 g
Glucides	56 g
Cholestérol	0 mg
Fibres	2 g
Fer	1,5 mg
Calcium	71 mg
Poids total	58 g

Douceur au chocolat

On trouve beaucoup de bleuets dans les monts Torngat, où culmine le mont d'Iberville (1768 m), le plus haut sommet du Québec. Ils attirent d'ailleurs les ours noirs dans la vallée de chaque fjord. Présenté sur des bleuets fraîchement cueillis ou des mûres et même sur des crêpes ou du gâteau, ce dessert plaît à tout coup.

Ingrédients

200 g de chocolat au lait à pâtisserie (Valrhona ou Coco Barry)
30 ml (2 c. à soupe) de lait en poudre
60 ml (1/4 tasse) d'eau
250 ml (1 tasse) de framboises déshydratées, lyophilisées ou fraîches
250 ml (1 tasse) de tranches de kiwi déshydratées, lyophilisées ou fraîches

Mode de préparation

À LA MAISON : emballer séparément le chocolat brisé en petits morceaux et le lait en poudre dans deux sacs de plastique. Les fruits sont emballés dans un troisième sac.

AU CAMPING : diluer la poudre de lait dans 60 ml d'eau froide. Faire chauffer à feu très doux pendant trois minutes. Ajouter aussitôt les brisures de chocolat en mélangeant ou en fouettant. Lorsque tout le mélange est lisse, verser sur les fruits.

Rendement : 4 portions

Valeur nutritive d'une portion	
Calories	312 kcal
Protéines	4,5 g
Lipides	14 g
Glucides	42 g
Cholestérol	8 mg
Fibres	4,5 g
Fer	0,9 mg
Calcium	43 mg
Poids total	63 g

Biscuits macadam

Les noix de macadamia rendent ces biscuits croquants et dodus en plus d'être très énergétiques. Ces noix, les plus grasses de toutes, contiennent 81 % de bon gras.

Ingrédients

310 ml (1 1/4 tasse) de farine de blé entier
125 ml (1/2 tasse) de sucre brun
125 ml (1/2 tasse) de beurre froid, en morceaux
250 ml (1 tasse) de noix de macadamia concassées grossièrement (en quatre)
15 ml (1 c. à soupe) de zeste de citron râpé
2 jaunes d'œufs battus

Mode de préparation

Préchauffer le four à 180 °C (350 °F). Mélanger la farine et le sucre dans un bol. Ajouter le beurre à l'aide d'un coupe-pâte pour que le mélange prenne la texture d'une chapelure grossière. Ajouter les noix concassées, le zeste et les jaunes d'œufs. Pétrir vigoureusement la pâte sur une surface légèrement enfarinée, jusqu'à ce qu'elle soit lisse. Abaisser la pâte à 1,25 cm (1/2 po) d'épaisseur et la tailler en cercles de 5 cm (2 po) de diamètre. Déposer les cercles sur une plaque à biscuits non graissée. Placer au réfrigérateur pendant 1 heure. Cuire 12 minutes ou jusqu'à ce que la couleur soit légèrement dorée. Laisser refroidir sur une grille. Se conservent plusieurs semaines au frais.

Rendement : 20 biscuits

Valeur nutritive d'un biscuit	
Calories	146 kcal
Protéines	2 g
Lipides	10 g
Glucides	12 g
Cholestérol	34 mg
Fibres	2,2 g
Fer	0,6 mg
Calcium	16 mg
Poids total	28 g

203

Biscuits de brousse

Ces biscuits peuvent être compressés dans le sac à dos sans s'émietter. On les mange trempés dans une infusion ou toute autre boisson chaude. J'en ai préparé plusieurs douzaines pour une équipe de Québécoises à la course Québec-Saint-Malo en 1984.

Ingrédients

180 ml (3/4 tasse) de beurre non salé fondu

250 ml (1 tasse) de sucre brun

85 ml (1/3 tasse) de miel liquide

750 ml (3 tasses) de farine de blé entier

5 ml (1 c. à thé) de levure chimique («poudre à pâte»)

2 ml (1/2 c. à thé) de bicarbonate de soude

5 ml (1 c. à thé) de sel

5 ml (1 c. à thé) de cannelle en poudre

2 ml (1/2 c. à thé) de gingembre en poudre

2 ml (1/2 c. à thé) de muscade râpée

60 ml (1/4 tasse) de lait sur ou de babeurre

60 ml (1/4 tasse) de café espresso refroidi (décaféiné si désiré)

Valeur nutritive d'un biscuit	
Calories	81 kcal
Protéines	1,1 g
Lipides	3,2 g
Glucides	12 g
Cholestérol	8 mg
Fibres	1,5 g
Fer	0,4 mg
Calcium	107 mg
Poids total	19 g

Mode de préparation

Mélanger les trois premiers ingrédients et laisser refroidir. Tamiser ensemble les ingrédients secs. Les incorporer progressivement au mélange de miel, en alternant avec le lait et le café. Mélanger afin d'obtenir une pâte lisse. Couvrir hermétiquement et faire raffermir au réfrigérateur (environ 1 heure). Abaisser la pâte à 1 cm (3/8 po) d'épaisseur sur une surface légèrement farinée. Découper avec un emporte-pièce enfariné de 6 cm (2 3/8 po) de diamètre. Déposer les biscuits sur une plaque non graissée. Placer les biscuits au réfrigérateur pendant 30 minutes avant de les faire cuire. Cuire au four à 180 °C (350 °F) environ 12 minutes ou jusqu'à ce qu'ils soient bien dorés. Laisser refroidir sur une grille. Se conserve plusieurs semaines dans un bocal de verre ou dans une boîte métallique. Pour le camping, les emballer dans un sac de plastique (ils ne nécessitent pas d'emballage rigide puisqu'ils ne s'émiettent pas), ils deviendront alors caoutchouteux et pourront être mangés sans être trempés.

Rendement : 48 petits biscuits

Gâteau Annapurna

Cousin du pain d'épices et très énergétique, il vous fera monter au ciel sans ascenseur !

Ingrédients

250 ml (1 tasse) de miel (suggestion : de sarrasin)
250 ml (1 tasse) de sucre brut ou de cassonade
5 jaunes d'œufs
5 blancs d'œufs
125 ml (1/2 tasse) de café espresso refroidi (décaféiné si désiré)
60 ml (1/4 tasse) d'huile de tournesol
30 ml (2 c. à soupe) de yogourt nature
875 ml (3 1/2 tasses) de farine complète
5 ml (1 c. à thé) de bicarbonate de soude
5 ml (1 c. à thé) de clou de girofle
5 ml (1 c. à thé) de cannelle
500 ml (2 tasses) de dattes dénoyautées hachées
250 ml (1 tasse) de noix hachées grossièrement
250 ml (1 tasse) d'amandes hachées grossièrement

Valeur nutritive d'une tranche	
Calories	353 kcal
Protéines	5,6 g
Lipides	19 g
Glucides	40 g
Cholestérol	38 mg
Fibres	4,2 g
Fer	1,4 mg
Calcium	40 mg
Poids total	72 g

Mode de préparation

Préchauffer le four à 150 °C (300 °F). Dans un grand bol, mélanger le miel et le sucre. Ajouter les jaunes d'œufs au mélange de miel. Bien battre au fouet. Ajouter le café, l'huile et le yogourt. Mélanger. Dans un autre bol mélanger la farine, le bicarbonate, les épices, les dattes, les noix et les amandes et ajouter au mélange liquide. Battre les blancs d'œufs fermement, puis les ajouter au mélange en pliant. Verser le mélange dans 2 moules à pain graissés de 10 x 25 cm (4 x 10 po). Cuire environ 60 minutes ou jusqu'à ce que la lame du couteau en ressorte propre. Laisser refroidir avant de couper en tranches de 2 cm (3/4 po). Ce gâteau se conserve sans réfrigération, aussi longtemps qu'un gâteau aux fruits. Pour diminuer davantage le poids, laisser sécher les tranches à la température de la pièce pendant une journée. Les tranches deviennent caoutchouteuses, encore plus sucrées et se conservent plusieurs mois sans réfrigération. Elles ont l'avantage de ne pas s'émietter ni se casser. En plein air, on les consomme arrosées d'un café espresso ou trempées dans une tisane ou un thé bien chauds.

Rendement : 28 tranches

Gâteau aux fruits

Pour une occasion spéciale ou pour épater le groupe. Ce gâteau contient peu de farine et beaucoup de fruits.

Ingrédients

750 ml (3 tasses) de raisins secs Thompson
250 ml (1 tasse) de raisins de Corinthe
250 ml (1 tasse) de dattes hachées
375 ml (1 1/2 tasse) de gingembre cristallisé et haché
250 ml (1 tasse) d'ananas cristallisé et haché
125 ml (1/2 tasse) de rhum brun
250 ml (1 tasse) de beurre non salé
250 ml (1 tasse) de sucre brun
125 ml (1/2 tasse) de mélasse
6 œufs
500 ml (2 tasses) de farine complète
375 ml (1 1/2 tasse) d'amandes nature entières
500 ml (2 tasses) de noix de Grenoble hachées grossièrement
5 ml (1 c. à thé) de sel
7 ml (1 1/2 c. à thé) de levure chimique («poudre à pâte»)
7 ml (1 1/2 c. à thé) de cannelle
2 ml (1/2 c. à thé) de muscade
1 ml (1/4 c. à thé) de clou de girofle moulu
80 ml (1/3 tasse) d'eau chaude

Mode de préparation

Dans un grand bol creux, mélanger raisins, dattes, gingembre et ananas. Arroser de rhum et couvrir. Laisser macérer pendant 12 heures en prenant soin de remuer toutes les 4 heures pour que les morceaux de fruits soient bien mouillés.

   Battre le beurre en ajoutant graduellement le sucre brun. Ajouter la mélasse et bien mélanger. Ajouter les œufs un à la fois en battant après chaque addition.

Au mélange de fruits, ajouter la moitié de la farine, soit 250 ml (1 tasse), et bien mélanger pour enrober les fruits. Ajouter les amandes et les noix.

Dans un troisième bol, mélanger la farine, le sel, la levure chimique et les épices. Ajouter au mélange d'œuf tout en alternant avec l'eau chaude, mélanger rapidement. Ajouter le mélange de fruits et de noix. Mélanger de nouveau. Verser dans un moule à gâteau rond avec cheminée centrale ou dans un moule à pain bien graissé. Remplir le moule au trois quarts.

Cuire à 165 °C (325 °F) pendant la première heure et diminuer la température à 135 °C (225 °F) pendant 2 h 1/2 ou jusqu'à ce que la lame d'un couteau en ressorte propre. Pendant la cuisson, placer dans le four, sur la grille du bas, une casserole d'eau bouillante.

Laisser refroidir plusieurs heures et le vaporiser de rhum (facultatif) avant de l'emballer. Se conserve plusieurs mois sans réfrigération.

Si le gâteau est apporté en expédition : trancher le gâteau, étaler les tranches sur la grille du four et laisser sécher 2 jours. La texture devient comme de la tire tendre à cause de la forte teneur en sucre.

Rendement : 24 portions

Valeur nutritive d'une portion	
Calories	470 kcal
Protéines	8,5 g
Lipides	20 g
Glucides	64 g
Cholestérol	75 mg
Fibres	6 g
Fer	4,1 mg
Calcium	113 mg
Poids total	119 g

Annexes

Cette annexe est destinée au lecteur initié aux notions de besoins et de dépenses caloriques. Vous y trouverez un ensemble de données et de méthodes de calcul facilitant l'évaluation des dépenses énergétiques suivant l'activité de plein air pratiquée.

Évaluation des dépenses énergétiques selon l'activité de plein air

Les dépenses énergétiques varient beaucoup d'un individu à l'autre. Elles représentent la somme : métabolisme basal (MB) + activité physique + activité de digestion et de transformation des aliments. La thermorégulation sera ajoutée à cette somme pour tout individu habitué à vivre en climat tempéré, passant la journée à l'extérieur dans une région où la température est inférieure à 10 °C, qui représente la température de référence selon l'OMS. Donc pendant la saison hivernale, une augmentation des calories se justifie pour toute personne s'activant dehors pendant plusieurs heures.

1. Métabolisme basal

Le MB représente la somme de toutes les activités de base nécessaires pour maintenir l'organisme en vie, à jeun et en position de repos, soit les battements cardiaques, les mouvements respiratoires, le maintien du tonus musculaire, les systèmes nerveux et hormonal, le maintien de la température corporelle et le fonctionnement des reins. La valeur calculée pour 24 heures varie selon plusieurs facteurs (voir le tableau AI-A).

Tableau AI-A. Les facteurs qui affectent le métabolisme basal

âge	le MB ↓ avec l'âge
sexe	les hommes ont un MB plus élevé que les femmes car ils ont une masse active (muscles) plus importante
taille	le MB ↑ avec la grandeur
croissance	le MB ↑ chez l'enfant et la femme enceinte
la composition corporelle :	
masse maigre	le MB ↑ car la masse maigre est active
masse grasse	le MB ↓ car la masse grasse est inactive
température environnementale	la chaleur et le froid ↑ le MB de 10 à 40 %
altitude	le MB ↑ de 10 % pour chaque tranche de 1000 m d'élévation
stress	l'hormone du stress fait ↑ le MB
fièvre	fait ↑ le MB
malnutrition, jeûne	fait ↓ le MB
l'activité de la glande thyroïde	constitue la clef de la régulation du MB qui ↑ avec la production d'hormones thyroïdiennes

↑ : augmentation

↓ : diminution

Le MB se calcule sommairement à partir de l'âge et du poids corporel. Cette méthode pose toutefois un problème de précision pour les individus très maigres ou très gras parce que la composition corporelle influence grandement l'évaluation du MB.

Tableau AI-B. Calcul du MB

Référence : Schultz Yves et Jequier Eric. *Energy Needs : Assessment and Requirements. Modern Nutrition in Health and Diseases*, 8ᵉ éd., publié par Maurice E. SHILLS, James A. OLSON et Moshe SHIKE, 1994, Tome I, Chapitre 5.

Âge (années)	kcal par jour	kcal par jour
	Femmes	Hommes
3-10	22,5 x P_c + 499	22,7 x P_c + 495
10-18	12,2 x P_c + 746	17,5 x P_c + 651
18-30	14,7 x P_c + 496	15,3 x P_c + 679
30-60	8,7 x P_c + 829	11,6 x P_c + 879
>60	10,5 x P_c + 596	13,5 x P_c + 487

P_c : poids corporel en kg

Exemple : le métabolisme de base d'une femme de 31 ans pesant 60 kg est évalué à :

$$8,7 \times 60 \text{ kg} + 829 = 1351 \text{ kcal / jour.}$$

Pour une évaluation plus juste, il faut faire effectuer un examen en laboratoire dans des conditions expérimentales très bien définies. Cette mesure s'applique plutôt aux cas pathologiques.

Le coût énergétique du travail musculaire varie selon le type d'activité physique, la durée et l'intensité de l'exercice ainsi que la forme physique et le poids corporel du pratiquant. À charges de travail égales, les sportifs moins bien entraînés transpirent beaucoup plus, leurs muscles utilisent plus de glucides comme combustible pour leur travail et ces sportifs récupèrent plus lentement. En plein air, la variété du terrain, l'altitude, les conditions climatiques, le poids transporté dans le sac à dos ou le traîneau et les manœuvres techniques plus ou moins maîtrisées représentent autant de facteurs susceptibles de modifier dans de larges proportions les dépenses énergétiques. De plus, à long terme, il se fait une remarquable adaptation à l'effort physique, même dans des conditions difficiles. L'organisme des paysans andins ou des sherpas dans les régions himalayennes fournit un exemple d'une telle adaptation à l'altitude, au froid et aux autres conditions environnementales difficiles, presque invivables pour un non-autochtone.

Les études scientifiques sur l'évaluation des besoins énergétiques des adeptes d'activités de plein air n'abondent pas. Il n'existe pas de valeur précise quant à l'évaluation de la dépense énergétique pour toutes les activités de plein air. Mon expérience sur la préparation scientifique de rations alimentaires pour différentes excursions et expéditions en ski de randonnée, en voile, en kayak de mer, à pied, dans différentes régions désertiques, nordiques, polaires et en haute altitude, m'amène cependant à conclure que seule une conjugaison de plusieurs méthodes de calcul satisfait l'exigence des activités de plein air.

Pour calculer les besoins journaliers en kilocalories, d'abord, il faut choisir la classe d'activités correspondant à votre style de vie :

Activités d'intensité faible / légèrement actif
monter la tente, camper, décamper, remplir un sac à dos, randonner à pied sur terrain vallonné pendant 2 h, randonner à vélo à 12 km/h pendant 2 h.

Activités d'intensité moyenne / modérément actif
sportif, 1 h d'entraînement/jour et activité de plein air la fin de semaine, pelleter, construire un igloo, ski de randonnée à 4 km/h, cyclotourisme à 15 km/h, canot de plaisance sur un lac, longue randonnée sur plusieurs jours consécutifs : escalade avec une charge de 5 à 20 kg, kayak à 12,5 km/h, tirer un traîneau avec un enfant de 10 kg comme charge
randonnée pédestre en montagne à 2,5 km/h avec une charge de 25 kg
marche en raquettes à 4 km/h
ski de randonnée à une vitesse de 6 à 8 km/h avec petit sac à dos
randonnée à vélo, plusieurs jours consécutifs, à 60 km/jour

Activités intenses / très actif
kayak à plus de 15 km/h, marcher dans la neige d'une profondeur de 40 cm à une vitesse de 2,5 à 4 km/h
canot dans les rapides
ski de randonnée avec sac à dos, faire la trace dans la neige profonde
ski de randonnée avec traîneau dans les régions nordiques où la neige est peu profonde
toutes les activités de plein air sur plusieurs jours consécutifs comme une expédition à skis avec traîneau, une descente de rivière, l'ascension d'une montagne de plus de 4500 m...

À l'aide du tableau AI-C, multiplier le facteur correspondant à la catégorie d'activités choisie par la valeur de votre MB calculé à l'aide du tableau AI-B. La valeur obtenue détermine la dépense énergétique totale du sportif correspondant à son besoin et peut être utilisée comme valeur réaliste.

Tableau AI-C. Évaluation des dépenses énergétiques

Référence : Schultz Yves et Jequier Eric. *Energy Needs : Assessment and Requirements. Modern Nutrition in Health and Diseases*, 8e éd., publié par Maurice E. SHILLS, James A. OLSON et Moshe SHIKE, 1994, Tome I, Chapitre 5.

	Femme	Homme
Activités d'intensité faible	1,64 x MB	1,78 x MB
Activités d'intensité moyenne	2,2 x MB	2,7 x MB
Activités intenses et très intenses	2,8 x MB	3,8 x MB

Exemple : les besoins énergétiques d'une femme dont le MB est de 1400 kcal, pratiquant la randonnée pédestre en montagne pendant une fin de semaine : 2,2 x 1400 kcal = 3080 kcal par jour.

Cette méthode peut être utilisée isolément, malgré qu'elle ne tienne pas compte du fait qu'une activité de plein air dure souvent toute la journée, de 6 à 8 heures. Même en utilisant le plus grand facteur correspondant aux activités intenses, le besoin énergétique calculé demeure, dans plusieurs cas, inférieur à la grande demande de l'organisme pratiquant une activité de plein air dans des conditions inhabituelles. En se limitant à cette méthode, la majorité des participants reviennent de leur excursion avec une perte plus ou moins importante de poids. Toutefois, en conjugaison avec les valeurs du tableau suivant, la dépense énergétique évaluée devient plus réaliste et offre une marge de sécurité alimentaire.

En utilisant les valeurs du tableau AI-D, calculer la dépense exigée pour une activité de plein air spécifique d'une durée déterminée. Additionner la valeur obtenue au total des calories calculé à l'aide de la méthode I.

Tableau AI-D. Dépenses énergétiques de différentes activités de plein air

Activités de plein air	Dépenses énergétiques*
monter et démonter la tente	300 kcal/h
skier à 6 km/h sans charge	9,9 kcal/min
marcher à 6 km/h sans charge, en terrain plat	11,9 kcal/min
skier sur neige poudreuse sans charge	10 kcal/h/kg
avec une charge de 20 kg à 4 km/h	13 kcal/min
marcher en raquettes dans la poudreuse à 4 km/h sans charge	12 kcal/h/kg
avec une charge de 20 kg à 3,6 km/h	13 kcal/h/kg
femme de 60 kg en randonnée pédestre en montagne sans sac à dos	425 kcal/h
avec sac à dos de 15 kg	515 kcal/h**
marcher en raquettes dans 10 cm de neige à 4 km/h avec un sac de 9 kg	10 kcal/min
à 2,4 km/h	6 kcal/min
marcher en raquettes dans 30 cm de neige à 4 km/h avec un sac de 9 kg	16 kcal/min
marcher en montagne moins de 2000 m à 4 km/h et avec un dénivelé de 600 m	2 à 3,4 kcal/kg/h
à 3 km/h et avec un dénivelé de 1800 m	5 kcal/kg/h
expédition à skis en tirant un traîneau de 65 kg, skiant à 2 km/h	7,1 kcal/min

* Lire ces recommandations comme des moyennes. Elles n'ont donc qu'une valeur limitée.

** À ce rythme, il devient facile de dépasser 4500 kcal/jour.

Exemple : pour une femme de 60 kg, marcher en raquettes à 4 km/h pendant 1 h exige :

12 kcal/h/kg x 1 h x 60 kg = 720 kcal

3080 + 720 = 3800 kcal

3. Activité de digestion

L'action de la digestion, connue scientifiquement sous le nom d'action dynamique spécifique des aliments (ADS), représente le coût énergétique de la transformation des aliments en nutriments, soit la dépense calorique liée au travail des muscles masticateurs, puis des muscles de l'estomac et de l'intestin ainsi qu'à la mise en réserve des nutriments. Le mot «spécifique» signifie que chacun des nutriments entraîne un processus de transformation plus ou moins complexe et coûteux. En effet, suivant la composition des repas, l'ADS des aliments varie et les protéines assurent l'effet dynamique le plus élevé. D'autre part, l'ADS ne représente qu'une petite partie de la dépense énergétique quotidienne, soit l'ajout de 10 % au total des besoins caloriques.

Exemple : les besoins énergétiques évalués à 3800 kcal

3800 x 10 % = 380 kcal

3800 + 380 = 4180 kcal

Cette dépense énergétique se traduit par la quantité totale de calories à consommer chaque jour, pour conserver le poids constant.

4. Thermorégulation

La thermorégulation est le maintien constant de la température interne du corps à une valeur stable (proche de 37 °C). À une température ambiante normale de 23 °C, la thermorégulation requiert peu d'énergie comparativement à ce qu'exige la transpiration sous une température élevée. À une température très basse, par contre, la lutte contre le froid exige des dépenses énergétiques considérables pour le réchauffement intense de l'organisme et le frissonnement. Le besoin énergétique de la thermorégulation s'applique seulement pour les individus habitués à vivre sous un climat tempéré et pratiquant une activité de plein air au froid intense, que ce soit pour une seule journée ou pour des séjours prolongés. La FAO/OMS recommande d'augmenter les besoins énergétiques de 3 % des calories totales pour chaque tranche de 10 °C au-dessous de la température de référence, qui est de 10 °C. Au-dessus de cette température, le MB inclut la thermorégulation. Il est clairement démontré que les besoins énergétiques de la thermorégulation varient selon la durée de l'exposition au froid et la qualité isolante des vêtements. Ces derniers constituent une source précieuse de résistance au froid et de conservation de la chaleur. Par exemple, lorsque les températures se situent en moyenne autour de -20 °C en janvier, il faut augmenter sa consommation calorique de 9 %.

Exemple de calcul de la dépense calorique due au froid :

Ex. : une femme dont la dépense calorique totale serait de 4180 kcal
selon le calcul des méthodes I et II, qui skie à -20 °C.
La dépense pour se réchauffer est de 376 kcal de plus que la ration totale de 4180 kcal.

3 % x nombre de tranches de 10 °C à partir de +10 °C
qui est la température de référence x calories totales.

3 % x 3 tranches de 10 = 9 % de la ration calorique totale de plus
soit : 9 % x 4180 kcal = 376 kcal.

Total : 376 + 4180 = 4556 kcal

Annexe II

La dépense énergétique journalière, aussi appelée «besoin calorique ou apport en énergie», doit être adéquatement satisfaite par une alimentation dite équilibrée, c'est-à-dire dont les sources de calories sont diversifiées suivant une répartition bien étudiée par la communauté scientifique et répondant aux besoins de l'humain. Cette répartition est la même pour tous, sauf en cas de situations particulières comme vivre dans des conditions extrêmes de froid, d'altitude ou à des températures très élevées.

Répartition calorique

En général, les auteurs recommandent de satisfaire les besoins énergétiques par un apport alimentaire adéquat en glucides, lipides et protéines. La valeur énergétique moyenne pour chaque gramme consommé de chacun de ces trois nutriments correspond à 4 kcal pour les glucides et les protéines et à 9 kcal pour les lipides. Il faut une quantité minimale de calories pour permettre à l'organisme de vivre en bonne santé, et la répartition souhaitable des sources de calories de l'alimentation journalière se définit comme suit :

Les glucides, qui constituent une part importante de notre alimentation, doivent idéalement couvrir plus de 50 % des calories totales, et l'on conseille fortement une augmentation jusqu'à 60 % pour une personne active ou pour des individus pratiquant des activités de plein air durant 8 h quotidiennement et pendant plusieurs jours consécutifs, dans des régions tempérées. Pour un meilleur rendement, privilégier les sucres complexes (amidon) et limiter à 10 % la consommation des sucres simples et composés. Un apport insuffisant de glucides peut provoquer une fatigue générale, un état d'épuisement, donc une baisse de la performance. Lorsque l'apport dépasse les besoins, les glucides se transforment en gras et le corps les met en réserve jusqu'à ce qu'ils soient de nouveau transformés en énergie et occasionnent ainsi une perte de poids.

Les lipides représentent idéalement de 25 à 30 % des calories totales suivant les recommandations sur la santé des Nord-Américains et pas plus de 10 % en provenance de gras saturés. Pour des séjours au froid, les lipides augmenteront aux dépends des glucides, jusqu'à 50 % et même 60 % dans des cas extrêmes. Dans ces cas, le type de lipides utilisé est un mélange à parts égales d'huiles d'olive, de noix et de soya (voir le chapitre 3). Cette ration de gras riche en oméga-3 et en acides gras essentiels, ne contenant pas de cholestérol, se rapproche de l'alimentation des Inuits, reconnue par la communauté scientifique comme saine pour le système cardio-vasculaire.

Les besoins en protéines représentent de 12 à 15 % des calories totales. Pour des activités de plein air d'endurance ou des expéditions d'une semaine ou plus, les protéines peuvent augmenter jusqu'à 20 % afin de compenser l'augmentation de l'entretien et de la réparation des tissus dus à l'activité musculaire intense. La meilleure façon d'augmenter les protéines consiste à consommer du GORP. Utilisez une recette classique tout en choisissant une grande variété de noix (arachides, amandes, noix de cajou, de macadamia, du Brésil...), de graines (tournesol, sésame et citrouille), sans oublier le jerky. Le repas du soir apporte aussi un apport rassurant en protéines (voir les menus au chapitre 4).

En expédition, dans une région tempérée, les meilleurs résultats ont été obtenus avec une ration alimentaire fournissant des aliments variés assurant une proportion de protéines, lipides et glucides à peu près comparable à une ration normale, soit :

$$P : 12 \% \quad L : 30 \% \quad G : 58 \%$$

Pour une plus grande protection contre le froid, plusieurs expériences ont été réalisées dans le but de trouver un type de diète satisfaisant. On revient toujours à l'idée qu'en expédition dans des conditions de froid extrême et de travail physique intense, une quantité suffisante de gras s'impose. Selon les notes personnelles du Norvégien Borge Ousland, le premier à atteindre en solitaire les pôles Nord et Sud, en 1994-1995 : *50 à 60 % de l'énergie doit être absorbée sous forme de gras. J'ai personnellement atteint des proportions de 65 % avec de bons résultats. Mais il est aussi important de permettre à votre corps de s'adapter à une telle absorption massive de gras en adoptant une diète riche en lipides au moins deux mois avant le départ de l'expédition.* De plus les lipides provoquent la satiété et ils fournissent de l'énergie concentrée, ce qui permet de diminuer le poids et le volume de nourriture à apporter.

En haute altitude, par contre (plus de 4000 mètres), une répartition calorique en faveur des glucides s'impose. L'ascension nécessite une augmentation des glucides et la disparition presque complète des lipides, à cause de la diminution graduelle de l'oxygène qui empêche le métabolisme de ces derniers (voir le chapitre 3).

Malgré l'inégalable consommation de calories pendant les longues randonnées ou expéditions, la perte de poids demeure une préoccupation. Les dépenses énergétiques engendrées par l'activité physique intense et de longue durée dépassent la consommation calorique et sollicitent au maximum les réserves de graisses de l'individu. Après épuisement de ces réserves de graisse, la masse musculaire commence à se dégrader pour fournir l'énergie. Une perte de poids correspondant à une perte de masse musculaire présente un danger pour la santé. Une alimentation insuffisante en calories peut causer ce genre de perte. Pour cette raison, la consommation de protéines dans une ration d'expédition peut être diminuée jusqu'à 10 %, au profit des graisses, et cette quantité correspond encore largement aux recommandations.

Annexe III

Liste d'épicerie

Les ingrédients énumérés ci-dessous sont disponibles dans les épiceries générales, les supermarchés, les magasins de produits alimentaires spécialisés et les magasins d'alimentation naturelle. De plus, on trouve une grande variété de plantes comestibles dans la nature, le long du sentier au printemps, en été ou en automne.

Tableau III-A. Poids et volume des portions individuelles
et quantité totale à acheter de quelques aliments usuels pour menu de camping

Ingrédients	1 portion volume (ml)	poids (g)	x fréquence	x nombre de personnes	= quantité totale à acheter
Déjeuners					
crêpes aux 3 farines					
farine de blé entier	15 ml	7 g			
farine de soya	15 ml	8 g			
farine de sarrasin	15 ml	8 g			
lait en poudre	30 ml	10 g			
sirop d'érable	45 ml	60 g			
graines de sésame grillées	15 ml	9 g			
muesli	125 ml	60 g			
gruau	125 ml	45 g			
œuf lyophilisé	45 ml	28 g			
sucre brut	15 ml	12 g			
beurre d'arachide	45 ml	16 g			
confiture	15 ml	20 g			
miel	15 ml	20 g			
Nutella	15 ml	20 g			
chocolat chaud	15 ml	25 g			
lait en poudre	30 ml	10 g			
chocolat en poudre Quick	15 ml	10 g			

Ingrédients	1 portion volume (ml)	poids (g)	x fréquence	x nombre de personnes	= quantité totale à acheter
Vivres de course					
GORP	150 ml	100 g			
fromage jarlsberg		80 g			
pâté végétal		50 g			
jambon Forêt Noire		50 g			
jerky		25 g			
amandes au tamari	30 ml	25 g			
noix de Grenoble	30 ml	16 g			
graines de tournesol	30 ml	24 g			
abricots secs	2 unités	15 g			
canneberges déshydratées	60 ml	14 g			
pommes séchées	60 ml	30 g			
poires déshydratées	2 demies	30 g			
raisins secs	60 ml	40 g			
Soupers					
riz précuit	125 ml	60 g			
riz basmati	125 ml	90 g			
pâtes alimentaires		110 g			
macaroni	180 ml	80 g			
lentilles vertes ou brunes déshydratées	75 ml	60 g			
lentilles rouges à cuisson rapide	60 ml	60 g			
couscous	125 ml	90 g			
légumes en flocons	30 ml	14 g			
pommes de terre en flocons	310 ml	120 g			
parmesan	30 ml	15 g			
viande lyophilisée ou déshydratée	30 ml	20 g			
crevettes déshydratées	30 ml	15 g			
tapioca minute	15 ml	10 g			

Index des recettes

Liste des explorateurs et aventuriers cités

Lexique ou index des sujets

225

226

228

229

Bibliographie

AMUNDSEN, Roald Englebert Gravning. *My life as an explorer*, London, Heineman, 1927, 282 p.

AMUNDSEN, Roald Englebert Gravning. *Le Passage nord-ouest*, Paris, Hachette, 1909, 220 p.

ARTHUR, Tracey, Christine A. BEEBE. «Perfect picnic plans», *Diabetes in the news*, vol. 9, n° 4 (juil.-août 1990), p. 47-50.

ASKEW, Eldon W. «Environmental and physical stress and nutrient requirements», *American Journal of clinical nutrition*, Vol. 61, n° 3 (mars 1995), p. 631-638.

ASKEW, Eldon W. «Nutrition for a cold environment», *The Physician and sportsmedecine*, vol. 17, n° 12 (déc. 1989), p. 77-89.

AXCELL, Claudia, Vikki KINMONT. *Simple foods for the pack: the Sierra Club guide to delicious natural foods for the trail*, San Francisco, Sierra Club, 1986, 224 p.

«Backpacking: cooking», *American Health: fitness of body and mind*, vol. 8, n° 6 (juil.-août 1989), p. 108.

BANKS, Lisa. «Review: the lowdown on backpacking tents and stoves», *Women's sports and fitness*, Vol. 15, n° 4 (mai-juin 1993), p. 72-76.

BATES, Joseph D. *The outdoor cook's bible*, New York, Doubleday, 1963, 212 p.

BECHTEL, Stefan. «New frontiers in healthy trail food», *Prevention*, vol. 36 (juil. 1984), p. 89-91.

BERNE, Suzanne. «The gourmet backpacker», *Women's sports and fitness*, vol. 8 (juil. 1986), p. 45-47, 68.

BITTEL, Jacques, Gustave SAVOUREY. «L'homme et le froid», *Pour la Science*, n° 207 (janv. 1995), p. 32-37.

BITTEL, Jacques *et al.* «Adaptation au froid de J.- L. Étienne lors de son raid polaire», *Médecine et armées*, vol. 16, n° 8 (1988), p. 589-590.

BITTEL, Jacques. «L'homme en climat froid : lutte, résistance et adaptation», *La Tribune médicale*, 1987, p. 20-24.

BOLIN, H.R., A. E. STAFFORD. «Effect of processing and storage on provitamin A and vitamin C in apricots», *Journal of food science*, vol. 39 (1974), p. 1034-1036.

BRAND-MILLER, Janette. «L'index glycémique des aliments», *Cahiers de nutrition et de diététique*, vol. 32, n° 1, 1997, p. 42-46.

BRICKLIN, Mark. «High fitness, high fun: fitness vacation (hiking-backpacking-natural-cuisine-packages)», *Prevention*, vol. 35 (nov. 1983), p. 126-129.

BROIHIER, Catherine. «Eating out: dining in the wilds at its delicious, nutritious best», *Women's sports and fitness*, vol. 14, n° 5 (juil.-août 1992), p. 20-25.

Canada. Ministère de la Santé nationale et du bien-être social, Bureau des sciences de la nutrition. «Les provinces, les indiens et les esquimaux», *Nutrition Canada*, n° 37 (printemps 1975), p. 5.

CHRISTENSEN, E. Hohwü, P. HÖGBERG. «Physiology of skiing», *Arbeitsphysiologie*, n° 14 (1950), p. 292-303.

CONSOLAZIO, C. F. *et al.* «Energy metabolism at high altitude», *Journal of applied physiology*, n° 21 (1966), p. 1732-1740.

230

CONSOLAZIO, C. Frank *et al.* «Metabolic aspects of acute altitude exposure (4 300 meters) in adequately nourished humans», *American Journal of clinical nutrition*, n° 25 (1972), p. 23-29.

CÔTÉ, Hélène. «Conservation des aliments : la lyophilisation», *L'Ingénieur*, (sept.-oct. 1984), p. 3-9.

CROSS, Margaret, Jean FISKE. *Backpacker's cookbook*, Berkeley, CA, Ten Speed Press, 1974, 142 p.

CROUSE, Byron J., David JOSEPHS. «Health care needs of Appalachian Trail hikers», *Journal of family practice*, vol. 36, n° 5 (mai 1993), p. 521-525.

DALGLEISH, J. McN. *Freeze-drying for the food industries*, New York, London, Elsevier applied science, 1990, 232 p.

DELONG, Deanna. *How to dry foods*, Tucson, Ariz. H. P. Books, 1979, 159 p.

DEUSTER, Patricia A. *et al.* «Consumption of a dehydrated ration for 31 days at moderate altitudes: status of zinc, coper, and vitamin B-6», *Journal of the American dietetic association*, vol. 92, n° 11 (nov. 1992), p. 1372-1374.

DI COSTANZO, Diane. «Food for the great outdoors», *Self*, vol. 15, n° 9 (sept. 1993), p. 208-211.

DOUBT, Thomas J. «Physiology of exercise in the cold», *Sports medicine*, vol. 11, n° 6 (1991), p. 367-381.

DREW, E. P. *The complete light-pack camping and trail-foods cookbook*, New York, McGraw-Hill, 1977, 196 p.

DUMAIS, Odile. «Alimentation : aliments séchés, lyophilisés ou déshydratés», *Géo plein air*, vol. 6, n° 1 (mai-juin 1994), p. 33-34.

DUMAIS, Odile. «Déshydratation des aliments : oui! faites-le vous-mêmes!», *Géo plein air*, vol. 6, n°2 (juil.-août 1994), p. 38-39.

DUMAIS, Odile. «Repas végétariens en expédition?», *Géo plein air*, vol. 6, n° 3 (sept.-oct. 1994), p. 5.

DUMAIS, Odile. *L'Aspect nutritionnel de l'expédition Québec 77*, Université de Montréal, Mémoire de maîtrise en nutrition, 1980, 108 p.

DUPIN, Henri *et al. Alimentation et nutrition humaines,* Paris, ESF, 1992, 1533 p.

DURNIN, J. V. G. A., R. PASSMORE. *Energy, work and leisure*, London, Heineman Educational Books, 1967.

EDWARDS, B. J., G. E. STRACHAN. *La déshydratation chez soi des fruits et des légumes*, Ottawa : Approvisionnement et Services Canada, Centre d'édition du gouvernement du Canada, 1982, 39 p.

EDWARDS, J. S. A. *et al.* «Nutritional intake and carbohydrate supplementation at high altitude», *Journal of wilderness medicine*, n° 5 (1994), p. 20-33.

ELIAS, E.-L. *Les Explorations polaires : pôle Nord, pôle Sud*, Paris, Payot, 1930, 300 p.

ELMAN, Robert, Clair F. REES. *The hiker's bible*, New York, Doubleday, 1982, 160 p.

ÉTIENNE, Jean-Louis. «Diététique de l'effort : les lois de la forme», *AlpiRando*, n° 112 (sept. 1986), p. 82-84.

ÉTIENNE, Jean-Louis. «Une victoire à 300 000 calories», *La Tribune médicale,* n° spécial (oct. 1986), p. 32-34.

ÉTIENNE, Jean-Louis. *Médecine et sports de montagne*, Paris, ACLA, 1983, 157 p.

EWALD, Ellen Buchman. *Recipes for a small planet: the art and science fo high protein vegetarian cookery*, New York, Ballantine Books, 1973, 366 p.

GIBAULT, T. «L'alimentation de l'homme dans l'espace», *Cahiers de nutrition et diététique*, vol. XXIX, n° 4 (1994), p. 226-233.

GOETGHEBUER, Gilles. «Vivre dans le froid», *Sport et vie*, n° 27 (nov.-déc. 1994), p. 22-32.

GOULET, Sylvie. «Préparation au froid par biofeedback», *La Tribune médicale*, 1987, p. 25-27.

GUNN, Carolyn. *The expedition cookbook*, New York, Chockstone Press, 1988, 208 p.

HACKETT, Peter H. *Mountain sickness: prevention, recognition and treatment*, New York, American Alpine Club, 1980, 77 p.

HANNON, John P. *et al*. «Nutritional aspects of high-altitude exposure in women», *American Journal of clinical nutrition*, n° 29 (juin 1976), p. 604-613.

HUBERT, Alain, Didier GOETGHEBUER. *L'Enfer blanc: récit des premiers Belges ayant atteint le pôle Nord*, Bruxelles, Labor, 1994, 240 p.

HUNTFORD, Roland. *Scott and Amundsen*, London, Weidenfield, 1993, 665 p.

JACOBSON, Cliff. *The basic essentials of cooking in the outdoors*, Merrillville, Ind., ICS Books, 1989, 67 p.

JÉQUIER, E. «Substances thermogéniques», *Cahiers de nutrition et diététique*, vol. XXV, n° 3 (1990), p. 177-179.

JOHNSON, H. L. *et al*. «Increased energy requirements of man after abrupt altitude exposure», *Nutrition reports international*, n° 4 (1971), p. 77-82.

KAGGE, Erling. *Alone to the South pole*, Oslo, J. W. Cappelen Forlag, 1993, 131 p.

KAYLER, Françoise. «De Saint-Hilaire à Ellesmere : gastronomie sur glace», *La Presse*, (27 mai 1992), p. E1.

KIRCHNER, Tom, Bharti KIRCHNER. «On the trail: a backpacker's guide to vegetarian meals», *Vegetarian Times*, n° 168 (août 1991), p. 60-65.

LAFOREST, Yves. *L'Everest m'a conquis*, Montréal, Stanké, 1994, 270 p.

L'alimentation, Animation et réalisation : Robert Blondin, Montréal, Société Radio-Canada, 1994, 50 p. (Transcription d'émissions diffusées dans le cadre de la série «L'aventure» du 17 au 21 octobre 1994).

LAMBERT-LAGACÉ, Louise, Michelle LAFLAMME. *Bon gras, mauvais gras : une question de santé*, Montréal, Éditions de l'Homme, 1993, 174 p.

LAMONTAGNE, Danielle. *Guide alimentaire végétarien*, Les Éditions Léa Beauregard, 1998, 6 p.

LATIMER, Carole. *Wilderness cuisine: how to prepare and enjoy fine food on the trail and in camp*, Berkeley, Ca., Wilderness Press, 1991, 239 p.

LE LONG, D. *How to dry foods*, Tucson, H. P. Books, 1979, 160 p.

LEBLANC, J. «Local adaptation to cold of Gaspé fisherman», *Journal of applied physiology*, n° 17 (1962), p. 950.

LOPEZ, Barry. *Rêves arctiques : imagination et désir dans un paysage nordique*, Traduit de l'américain par Dominique Dill, Paris, Albin Michel, 1987, 571 p.

LOVITT, Rob. «The big chill: hypothermia has long been a winter concern, but too few people realize that you can freeze to death year-round», *Backpacker*, vol. 16, n° 6 (nov. 1988), p. 72-73.

MANIMAN, Mac. *Dry it you'll like it*, Washington, Gen Mac, 1973, 75 p.

MARCIL, B. *La Lyophilisation : aspect microbiologique*, Paris, IAF, 1951, 6 p.

MARSIGNY, B., G. BOUVIER, J. FORAY, «Les accidents liés au froid en montagne», *Science & sports*, n° 3 (1988), p. 129-136.

MELIN, B. *et al.* «Déshydratation, réhydratation et exercice musculaire en ambiance chaude», *Cahiers de nutrition et diététique*, vol. XXV, n° 6 (1990), p. 383-388.

MILLER, Dorcas S. *The healthy trail food book*, Wiscasset, Me., Dorcas S. Miller, 1978, 59 p.

NAGEL, Vicko. «Food on foot: easy eats for camping out», *Women sports*, vol. 2 (juil. 1980), p. 48.

NANSEN, Fridtjof. *À travers le Groenland*, Traduit par Charles Rabot, Paris, Hachette, 1893, 395 p.

NANSEN, Fridtjof. *Vers le pôle*, Traduit par Charles Rabot, Paris, Flammarion, 1897, 424 p.

OUSLAND, BØRGE. *Alone to the North Pole*, Traduit par James Anderson, J.W. Cappelens Forlag A/S, 1994, 138 p.

PALLISTER, Nancy. *Cookery planning and preparation of food for backpacking expeditions*, National Outdoor Leadership School, N. O. L. S, 1974, 64 p.

PEARY, Josephine Diebitsch. *My Arctic journal: a year among iced-fields and Eskimos*, London, Longmans, Green, 1894, 240 p.

PEARY, Robert Ewin. *La Découverte du pôle Nord : en 1909, sous le patronage du Club antique Peary*, Paris, Pierre Laffitte, 1911, 341 p.

PEARY, Robert Ewin. *Nearest the Pole: a narrative of the Polar expedition of the Peary Arctic club in the S.S. Roosevelt, 1905-1906*, London, Hutchinson, 1907, 410 p.

POTERA, Carol. «Mountain nutrition: common sense may prevent cachexia», *Physician and sportmedicine*, (mars 1986), p. 233-235.

RANDALL, Glenn. *Cold comfort: keeping warm in the outdoors*, New York, Nick Lyons Books, 1987, 136 p.

RAY, R. M. *et al.* «Utilization of different quantities of fat at high altitude», *American Journal of clinical nutrition*, n° 28 (1975), p. 242-245.

RÉMÉSY, C. *et al.* «Intérêt nutritionnel des produits végétaux riches en fibres», *Cahiers de nutrition et diététique*, vol. XXVII, n° 6 (1992), p. 370-377.

REYNOLDS, R. D., M. P. HOWARD, P. DEUSTER. «Energy intakes and expenditures on Mt. Everest», *FASEB Journal*, n° 6 (1992), p. A-1084.

RICHÉ, Denis. *Équilibre alimentaire et sports d'endurance*, Paris, Vigot, 1990, 414 p.

ROBERTSON, Laurel, C. FLINDERS, B. GODFREY. *Laurel's kitchen*, Nilgiri Press, 1978, 508 p.

ROSE, M. S. *et al.* «Operation Everest, II: nutrition and body composition», *Journal of applied physiology*, n° 65 (1988), p. 2545-2551.

SALVADOR, Valérie, Christine CHERBUT. «Régulation du transit digestif par les fibres alimentaires», *Cahiers de nutrition et diététique*, vol. XXVII, n° 5 (1992), p. 290-297.

SHACKLETON, Edward. *Nansen the explorer*, London, H. F. & Witherby, 1959, 209 p.

SHACKLETON, Sir Ernest Henry. *Au cœur de l'Antarticque,* Texte français de Charles Rabot, Paris, Phébus, 1994, 217 p.

SHACKLETON, Sir Ernest Henry. *Mon expédition au sud polaire 1914-1917,* Tours, Maison Alfred Mame & fils, 1921, 380 p.

SCHULTZ Yves et Eric JEQUIER. *Energy Needs: Assessment and Requirements, Modern Nutrition in Health and Diseases,* 8ᵉ éd., publié par Maurice E. SHILLS, James A. OLSON et Moshe SHIKE, 1994, Tome I, Chapitre 5.

SIBERNER, Joanne. «The last companion you'll want on the trail: guardia lamblia water contamination is a hiker's hazard», *U.S. News & world report,* vol. 102 (juin 22, 1987), p. 66.

SIMON-SCHNASS, I. M. «Nutrition and high altitude», *Journal of nutrition.* n° 122 (1992), p. 778-781.

STEGER, Will, John BOWERMASTER. *Crossing Antarctica,* New York, Knopf, 1992, 304 p.

STEGER, Will, Paul SCHURKE. *North to the Pole,* New York, Ramdom, 1987, 352 p.

TILTON, Buck. «Just add water: why powdered "sports" drinks belong in your pack», *Backpacker,* vol. 21, n° 1 (fév. 1993), p. 16-19.

TILTON, Buck. «The whot tooth: how to keep dental problems from ruining your backcountry excursions», *Backpacker,* vol. 23, n° 3 (avril 1995), p. 22-24.

VALENCIA, M. E. *et al.* «The effect of environmental temperature and humidity of 24 h. energy expenditure in men», *British Journal of nutrition,* n° 68 (1992), p. 319-327.

WEBER, Richard, Mikhail MALAKHOV. *Polar attack: from Canada to the North Pole, and back,* Toronto, McClelland & Stewart, 1996, 222 p.

WORME, Jeanne D. *et al.* «Changes in iron status during exposure to moderate altidude», *Journal of wilderness medecine,* n°3 (1992), p. 18-26.

WORME, Jeanne D. *et al.* «Consumption of a dehydrated ration for 31 days at moderate altitudes: energy intakes and physical performance», *Journal of the American dietetic association,* vol. 91, n° 12 (déc. 1991), p. 1543-1549.

Transcontinental
IMPRESSION
IMPRIMERIE GAGNÉ

IMPRIMÉ AU CANADA